JN108172

WELL

持続可能なチームのつくり方

幸福と成果が連動する

BEING

大神労働衛生
コンサルタント事務所代表
大神あゆみ

SE
SHOEISHA

はじめに

会社の「持続可能性」は「社員（従業員）」にある。

おそらく誰も異論のないことでしょう。

当然ながら、人がいなければ事業は動かせません。

そして、今では、社員は消費される「資源」ではなく、企業の投資対象として価値を向上させる「資本」という考え方にも変化してきました。


しかし、ちょっとここで立ちどまって考えてみていただきたいと思います。

その「人」の基盤となるものは何だったか？

それは、ふだん当たり前のものとして意識されにくいものですが、まちがいなく「社員（従業員）一人ひとりの『健康』」だと私は考えます。

人は生物《なまもの》です。「健康」は当たり前で普遍的に誰もに備わっているものではありません。多様な人に働いてもらう世の中になって、その「健康」も多様化し、これまで以上に個別性が広がっているのです。ここで私がいう「健康」は病気があるかないかだけでもありません。
元気かどうか——病気があってもなくても、です。
そんな多様なメンバーをどうやってマネジメントしていくか？
それが今後の経営に大きな影響を与えるはずと私は確信しています。

そして、その社員の創造力や生産性をフロントラインでマネジメントする中核にいるのが「マネジャー」です。マネジャーはチームの舵取りをしていますが、本当に多忙です。加えて部下（そして上司）への目配り気配りで疲れていることが多いように思えます。

そこで、私がどうしてこのような本を書くことになったのかについて触れたいと思います。

私は経営のコンサルタントではなく、保健師であり労働衛生コンサルタントとして、職場や働く人の健康管理を支援する保健医療の専門家です。
保健医療の専門家でありながら、大事にしている視点は、職場を構成する

「一人ひとり」と「全員」をしっかり見つめながら、会社の健康を底上げすること、企業経営を支えることにも加担することです。

具合の悪くなった人への対応もしないではありませんが、一人ひとりと職場に「鳥の目」「虫の目」に予防の視点も加えて、誰もが働き続けられて生産性にも寄与できる職場支援を目指しています。

現在の仕事では、主に次のような3つの支援を行っています。

①研修事業のような単発の事業運営支援

②一定期間（1～5年）継続的に職場に出向き、労働衛生診断を行い、その職場の健康管理の仕組みを整えていくコンサルティング型の支援

③常勤で保健医療職を雇用できない会社と顧問契約をいただいて、社外の健康管理部門的な仕事を行う。「全従業員の個別健康面談（※）」を基盤として、その職場の健康管理の仕組みを整えていくようなコンサルティング支援

※健康診断実施後に「今後、元気に働いていくためにどうしていくか？」というテーマのもとに個別に話し合うスタイルの面談。

そのような支援をとおして痛感したことこそ「マネジャーを強く支えないといけなかったのだ！」ということでした。

特に、前述の②③の支援から、「健康経営」の認定や「ウェルビーイング」の企業コピーを掲げていても、働く人達のもっとも身近にいるマネジャー職に伝わっていないことも多ければ、泥臭くも思えるマネジャーの困りごとに健康問題が絡んでいて混沌としている現場の実態がわかりました。

「今僕に話してくれたようなことを本にしてよ」
「大神さんがいくら頑張っても、一生かかってもかかわれる職場の数は限られているよ。同じように悩んでいるマネジャーはどこにもいるはずだよ」

面談の場面で、そんなことを言ってくれたマネジャー職の方の声に背中を押されて、本書を書くことにしました。

本書に取り上げている事例はどれも実話です。ただし、職場や個人名が特定できないよう、類似の複数事例を一つにまとめて匿名性を保つようにしたり複数の似た事例を組み合わせたりしました。そして、特定の職場で起こるものではなく、どこの職場でも起こるかもしれないものを取り上げています。また、私のこれまでの経験から、私のような働く人の健康管理を行っている保健医療職の反省を込めて、（私たち専門職は）「当たり前」と思っていても「大事なことだけどマネジャーまでは伝わっていないこと」を中心にお示しし、法令の記載や説明はできるだけ少なくしました。

「うちの職場でも必要な見方や対応法だな」と思われる箇所は必ずあるはずです。是非、自分ならどうするかな、と考えながら読み進めてください。よそのマネジャーの悩みも課題も対応法も、あなたの糧になるはずです。

どうか、本書を手に取られたマネジャー職の方と傘下のチームの「元気（ウェルビーイング）」を支える助けになりますように。

目次

第2章 「ウェルビーイング」なチームをつくる日々の対応

実践編 平時

第3章 部下の心身の変化に応じた対応
実践編 メンバーの有事

第4章 健康危機への対応

実践編 チームの有事

第5章 持続可能なチームをつくるために

まとめ編

本書で紹介する事例は、著者が見聞きした実例を基にしていますが、問題点をより明確にし、特定の個人が識別できないようにアレンジを加えています。なお、本文中の登場人物の名前は仮名です（章末にある「事例クイズ」の名前はアルファベットで表記）。

第
1
章

今こそ求められている「ウェルビーイング」を意識したマネジメント

基礎編

考え方と理解

01

「元気」を尋ねる3つの理由

「あなたの職場は元気ですか？」
「あなたは元気ですか？」

突然こんな問い掛けをされたら、どのように答えますか？　実は、これは私が訪問先の職場でよく使っているフレーズです。

そんな話をしたら、「保険の外交員の方ですか？」と、聞かれたことがありました。

たしかに「ほけん」という読み方に共通点はあるものの、私は「保健師」であり、「労働衛生コンサルタント」という職場の健康管理を専門にした仕事をしています。大学の看護学部を卒業してから30年間ほど、２００以上の会社や事業場（同じ組織下で同種の業態がまとまって作業する場所のこと）と、4万人以上の働く人の健康管理に携わってきました。

そのようなことをお伝えすると、「職場で具合の悪くなった人をサポートしているんですね」と解釈されることも少なくないのですが、これまで私がずっと目指してきているのは、**職場で働く一人ひとりに目配りできる仕組みを考えて、防げる病気を防ぎ、守れる命を守り、誰もがよりよく働ける職場を少しでも増やすことです。**具合の悪くなった人の対応をしないわけではありませんが、それは仕事の一部にすぎないと考えています。

多くの職場でリアルな「健康」を目の当たりにして思うのは、部下の健康面でマネジャーにしかできない対応があったにもかかわらず、いろいろな事情からそれが十分に行われず、結果としてチーム運営にも支障が出ることが多いということです。

もちろん、部下のコンディションをしっかり管理して最高のパフォーマンスに導き、それが職場の利益にもつながったという、逆のケースもあります。

人材確保の難しさは、今後ますます高まるでしょう。言い換えると、部下の心と体のマネジメントができるマネジャーは、本書のテーマである「持続可能なチームづくり」ができると認められ、職場で選ばれる存在になることは間違いありません。

さて、冒頭の問い掛けに話を戻します。私が「元気ですか?」と尋ねるのには、次の3つの意図があります。

①具合が悪くないかどうかを確認する

当然具合が悪ければ言葉に詰まるか、具合の悪い状態について説明があるでしょう。気分や機嫌のよしあしも「元気ですか?」で推し量れます。

しかし同じような質問ですが、もっとストレートに「具合の悪いところはないですか?」と尋ねたら、次の②の効果は得られません。

②主観的に「元気」を意識してもらう

生活や仕事に差しさわりがないと、自分の健康になんて特に気に掛けない人がほとんどです。

しかし、言葉にして尋ねられると、「どうかな?」と自問するきっかけになるでしょう。当然ながら、自分の健康の一番の担い手は自分です。「元気ですか?」には、実は自分の健康を意識してもらう狙いもあるのです。

持病や障害がある人でも、うまく仕事や生活と折り合いがつけられていれば、元気といえます。

仕事が引き金になって起こるような病気やケガは、絶対に防がないといけませんが、すべての病気をゼロにすることが目的ではありませんし、それはどう頑張っても無理なことなのです。

③気遣いのメッセージを送る

久しぶりに会った人には「元気?」を、挨拶のような感覚で使うことも多いと思います。この場合の「元気?」は、相手への気遣いが前提にあるのではないでしょうか。

私があえて元気な人にも「元気ですか?」と尋ねるのは、「気に掛けているよ」というメッセージを通じて、相手の「存在」を認めていることも伝えたいからです。仮に「余計なお世話だ」と言われたとしても(そんな人はいないでしょうが)、それほど不快には感じないはずです。

「元気?」は、質問者の自己肯定感をも、ある程度満たせるよいフレーズだと思います。

全従業員に「元気」を尋ねる

私が「元気ですか?」を意識的に使うようになったのは、私が新人だったころに出会った、同じ保健師の先輩の影響です。

とかく保健医療職は「病気」を探すものです。

でも、その先輩は「病気ももちろん意識はするけれど、職場では元気に仕事ができているかが大事よ。具合の悪くなった人を中心に対応していたのでは、これから具合が悪くなるかもしれない人には他人事になってしまうでしょう。だからできる限り、全従業員に短時間でも『元気?』を聞きなさい」と教えてくれました。

現在、私は顧問契約をいただいて、健康診断とストレスチェックのあとに全従業員の面談を行っている職場が数社あります。そこでは、先輩の教えに従って「元気に仕事ができている?」と個別に問いかける面談を積み重ねています。その数は、延べ人数で1万人近くなりました。

残念ながら、この問い掛けの効果は科学的なエビデンスを得る研究にまではつながっていませんが、働く人それぞれが自分の健康を気遣い、そして、上司や同僚がお互いの健康を気遣って「次のアクション」につなげていく様子を少なからず確認してきました。その「次のアクション」については、次章以降でご紹介します。


もちろん「元気？」の問い掛けだけでは、魔法の杖にはなりません。

それでも、現場のマネジャーにとって、チームの健康づくりに役立つ切り口にはなるでしょう。

どうか、重要キーワードとして、いつでも使えるように「元気？」を覚えておいてください。

02

労働人口は減少、病気を抱えて働く人は増加の現実

昨今、どこの職場でも人手不足が叫ばれています。言うまでもなく、少子高齢化の影響を受けた結果です。

次ページの**図1-1**は、労働力人口が大きく減少していることがわかる端的なグラフです。グラフは、2001年と2020年の日本の人口の変化を示していますが、この20年間で総人口は114万5千人減少し、生産年齢人口（労働力人口）は約9倍の1千105万4千人も減少しています。少子高齢化は歯止めができていませんから、労働力人口は今後さらに減少が見込まれます。

そして、減少した労働力を補うために、機械化や情報化に加えて、高齢者や女性、障害者、外国人と、職場はさまざまな人たちで構成されるようになってきました。

つまり、**働く人はかなり多様な集団にならざるを得なくなってきている、**

図1－1

20年間の生産年齢人口の減少

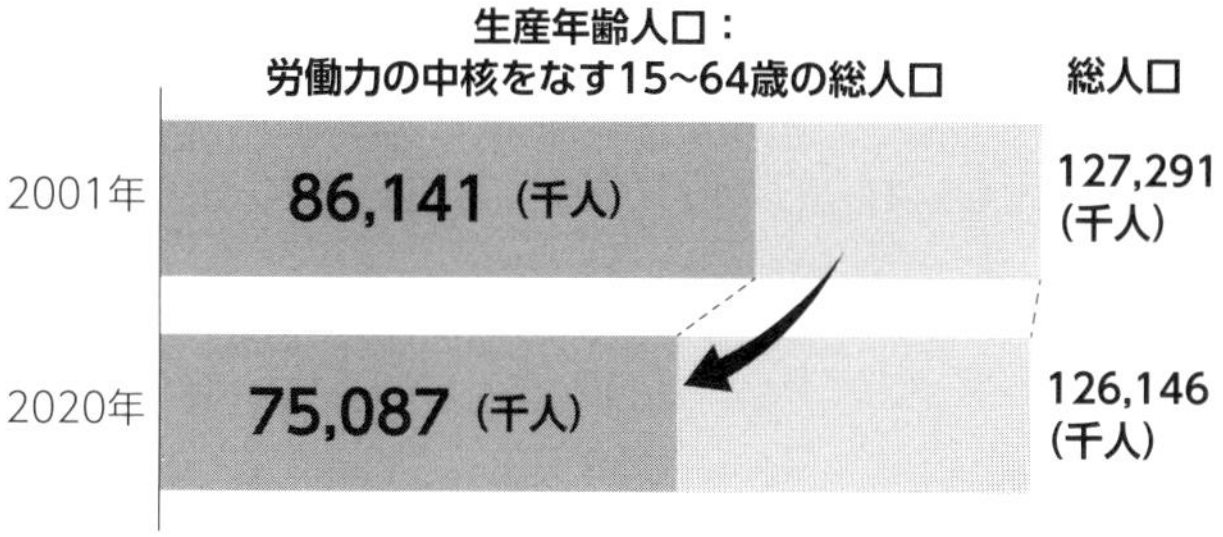

出所：総務省統計局「人口推計」（2023年10月10日アクセス https://www.e-stat.go.jp/stat-search/files?page=1&toukei=00200524&tstat=000000090001&metadata=1&data=1）より筆者作成

と現在進行形でいえるでしょう。

また、働く人の高齢化が進んでいることからも、疾病を抱えて働く人が増加していることを意識しておく必要があります。

加えて、いわゆる「過労死」といわれる、長時間労働などが原因となって起こる脳・心臓血管系疾患や、精神障害、過労自殺などは、労働災害（以下、労災）の補償がされるようになった時代の変化もあります。

健康診断の結果から見えるもの

このような働く人の健康状態のわかる象徴的な数字を、次にご紹介します。次ページにある図1－2の「健康診断結果の有所見率」というのは、わかりやすくいうなら健康診断で「正常」「ほぼ正常」以外の結果と判定された人の割合です。

原因の多くは、糖尿病、高血圧、脂質代謝異常などの生活習慣病です。たとえば、「下の血圧が90㎜Hgだった」とか「空腹時血糖が130㎎／dℓだった」という場合が有所見に該当します。

その有所見率の割合が、この20年で健診受診者の過半数になりました。働いている人の2人に1人以上は健康上何か問題を抱えているということになります。

しかし、病態に差はあるものの、多くの人は有所見であっても自覚症状がほとんどありません。だから、気に留める人もいれば無頓着な人も出てきます。

図1-2

健康診断結果の有所見率

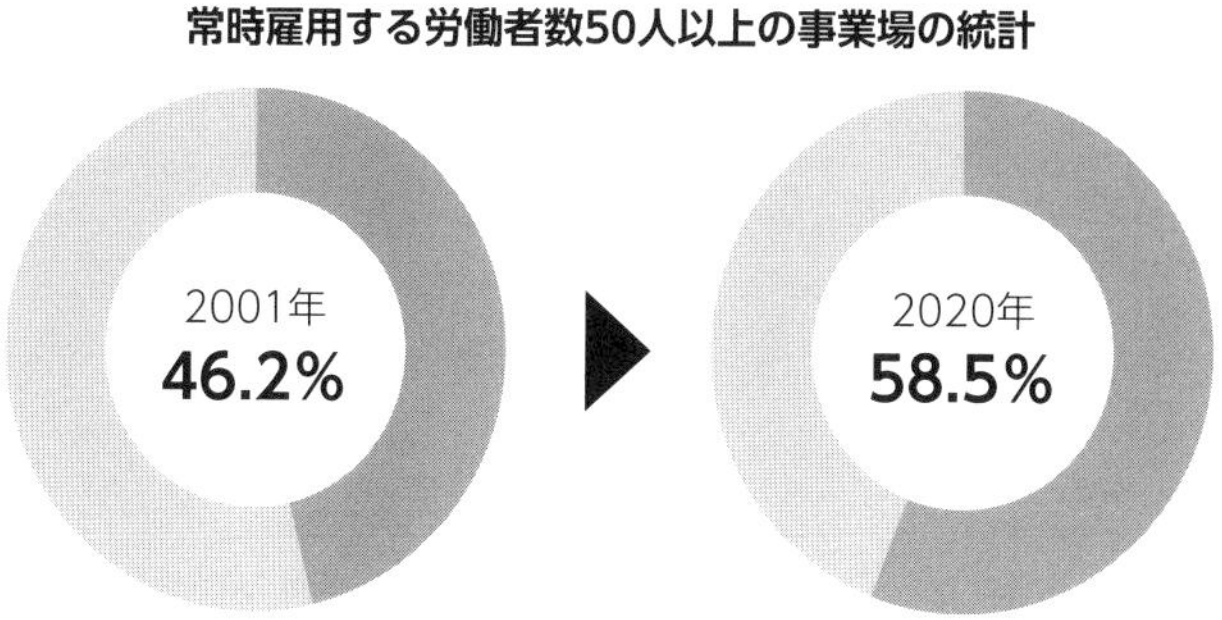

出所：厚生労働省「定期健康診断実施結果（年次別）」より筆者作成

国の調査では、生活習慣病の指摘を受けた40〜59歳の半数以上の人は服薬治療を受けていないことがわかっています（次ページ図1−3参照）。

指摘を受けた残り半数以下の人は、医療機関を受診していることになりますが「毎年の健診時に経過観察するくらいでよい」と医師に診断された人もいるでしょう。あくまで実感にしかすぎませんが、ここで私が気になっているのは、服薬治療を受けないまでも、自己管理として生活習慣の見直しや工夫をしているのは、ほんの一部の人にしかすぎないのではないかということです。

図1-3

生活習慣病の指摘と治療の状況

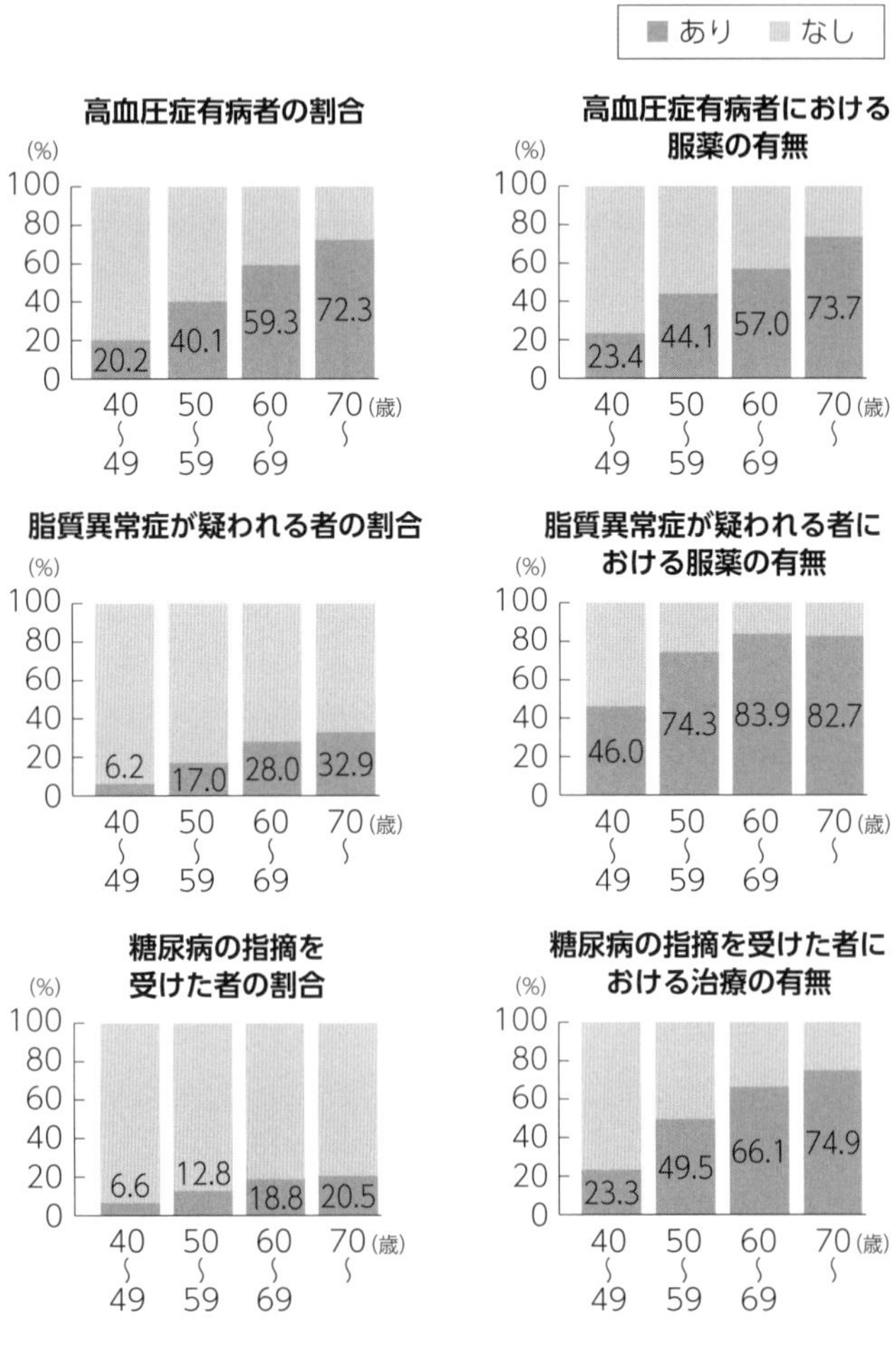

出所：厚生労働省「平成28年国民健康・栄養調査報告」

それの何が問題かといえば、多くの生活習慣病が動脈硬化につながる可能性が高いことです。動脈硬化から心筋梗塞や脳梗塞になるリスクもあります。

なお、脳・心臓血管系の疾患があって過重な労働が誘因と認められた場合には、労災認定がされることもあります。

健康診断の結果は配慮が必要な個人情報ですが、職場は健康診断の結果に基づいて、医療機関への受診を勧めたり（医療上の措置）、状態によって仕事を制限したり（就業上の措置）といった適切な対応が必要とされています。

働く人の半数以上は、強い不安やストレスを抱えている

次に、働く人のメンタルヘルスの状況を見てみましょう。次ページにある図1－4のグラフに示されるように、精神障害や自殺の労災請求件数と認定件数は右肩上がりです。この20年で、心身に不調をもちながら働く人がずいぶん増加したことがわかります。

しかし、グラフが示すとおり、労災請求件数の伸び率ほど、認定件数は伸

図1-4

精神障害や自殺の労災請求件数と労災認定件数

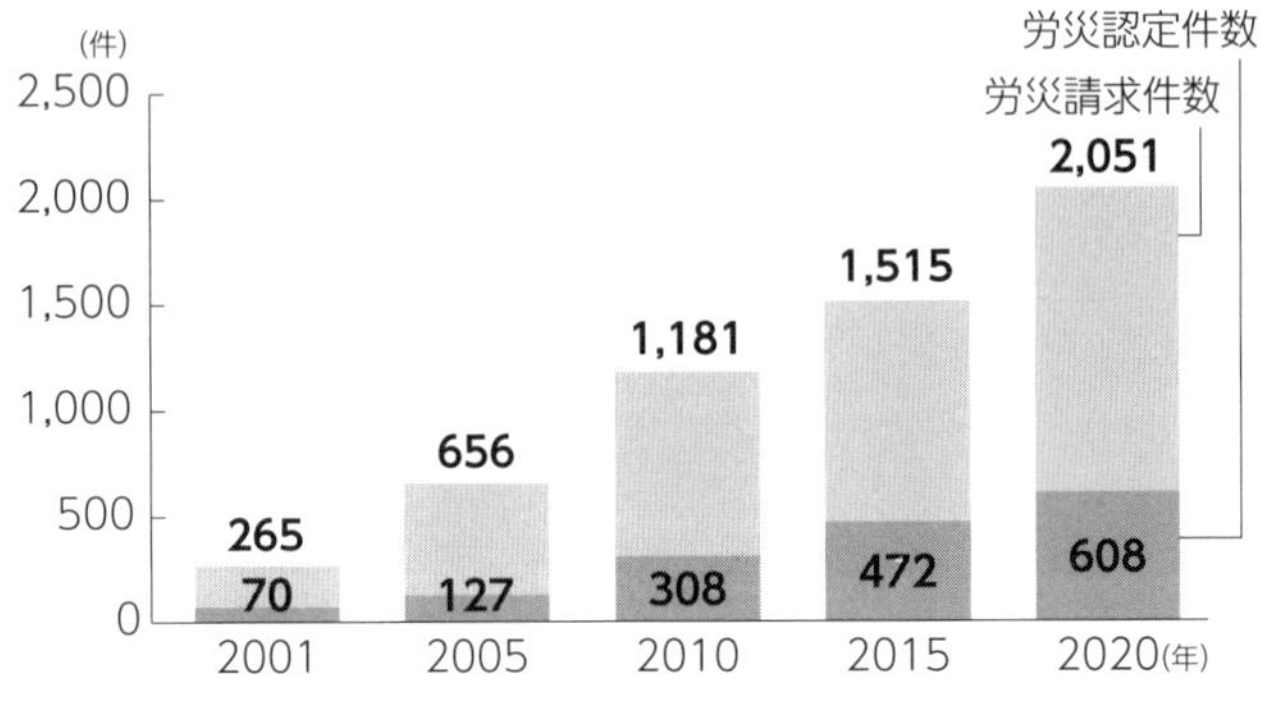

出所：厚生労働省「過労死等の労災補償状況」を基に筆者作成

びていません。

この結果は、精神障害や自殺を「仕事によって起きたものだ」と考える人が増えたとも読み取れます。同時に「仕事のせいとはいえない」と判断されるケース（認定されなかった数）が非常に多いという実態もわかります。

厚生労働省の別の統計（「令和4年 労働安全衛生調査（実態調査）」）では、メンタルヘルス不調により連続1か月以上休業または退職した労働者がいた職場は13・3％で、仕事で強い不安やストレスがある労働者の割合は82・2％という実態も伝えられています。

発想の転換が人材不足解消のカギとなる

少子高齢化がさらに進んでいくと、今後ますます働く人の多様化は進みます。会社の希望に合う人の条件を絞り込むと、採用は当然さらに厳しくなっていくはずです。

私が労働衛生診断や健康経営などの助言にうかがう訪問先企業の人事担当者も、「人を採用したいが、弊社に合った人材がなかなか見つからない」とよくこぼされることに納得がいきます。

それならば、今後のマネジメントには、「今、いる人（在籍している人）にチームとしてうまく働いてもらうにはどうするか？」「異なる特徴をもつ人に新たにチームにうまく加わってもらうにはどうするか？」と、発想を転換させることが持続可能なチームにつながると考えるべきではないでしょうか。

03

「LIFE」の視点から、部下の元気を考える

部下のみんなに元気で働いてもらうには、「元気？」と聞くだけでは十分とはいえません。

マネジャー自身の視点で、しっかり、部下の元気を確認することも必要です。

まずは、私たち保健医療職が状況を整理するときに用いる「LIFE」の考え方をご紹介しながら、部下の健康管理のポイントを紐解いていきたいと思います。**「LIFE」は「生命：からだ」「生活：暮らし」「人生：思い」の3構造から成り立っています**（次ページ図1－5参照）。

「働きがい」とは？

「LIFE」の3構造をどのように現場のマネジメントで使ったらよいか、

図1-5

「LIFE」の3構造

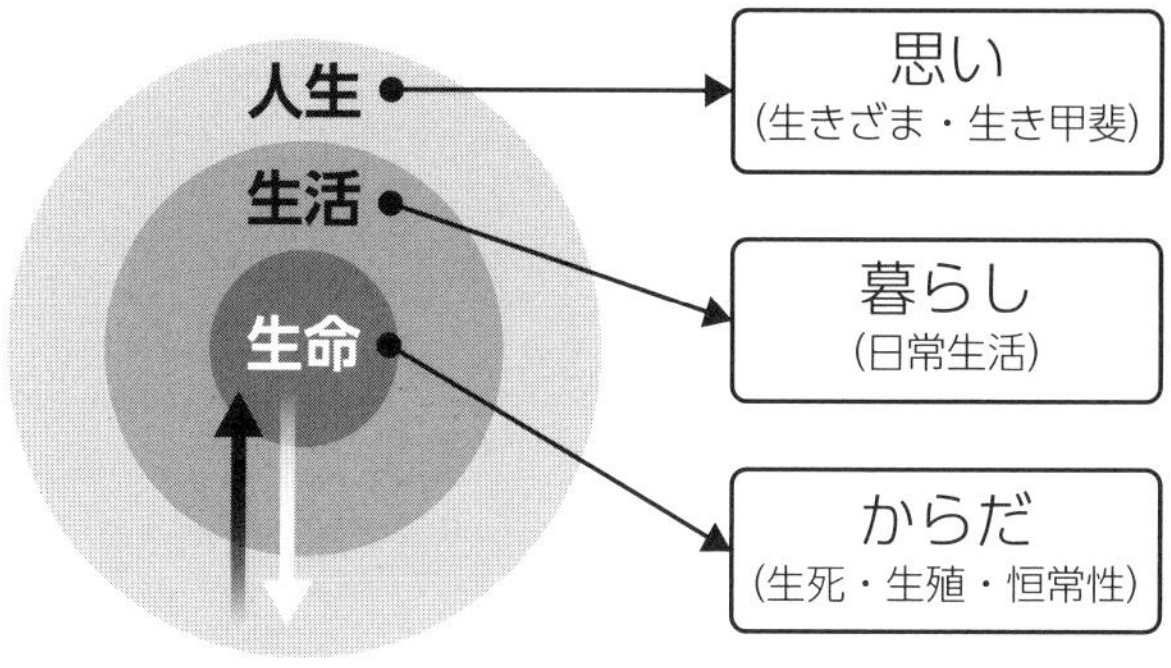

出所：(独) 労働者健康安全機構の両立支援コーディネーター基礎研修資料『社会資源に関する知識』

私が経験した日本で働いている外国人の事例から見ていきます。

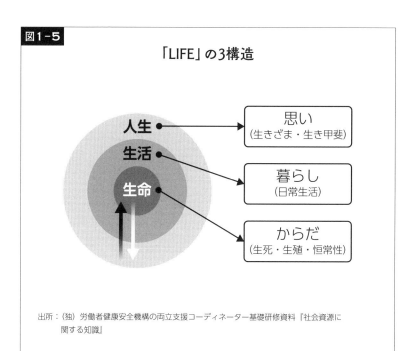

従業員数約20人の建設会社の社長は、海外から来ている技能実習生3人の処遇やストレス対策がわからないと悩んでいたことから、私を紹介されて、技能実習生を含む全従業員に、初めてストレスチェックを行うことになりました。

その結果は意外なことに、技能実習生には仕事上のストレスの引き金になるものはなく、ストレス反応すらないという、とても良好なものでした。

社長は、自分がこれまで行ってきたことが評価されたと受けとめて大喜びです。「コミュニケーションが大事だと思って、社内イベントや懇親会を積極的に増やしたから、効果があったんだね！」と、満面の笑みで私に語っていました。

とはいえ、初めてのストレスチェックだったので、フォロー対策として個別相談を行ったところ、ある技能実習生から声を掛けられました。

「ストレスチェックの質問にあった『働きがい』って何ですか？」

そこで、「働きがい」の母国語での訳を見せて、やさしい日本語での例示なども試みました。

しかし、何度も首をかしげながら繰り返し言われたのが、次の言葉です。

「意味がわからないです。働いてお金がもらえたら、それでいいじゃないですか？」

「働きがい」の意味が理解できない様子でした。それに似た言葉で「生きがい」もわからないのだと教えてくれました。

不安の洗い出し

それからしばらくして、2021年になったばかりのころの話です。新型コロナウイルス感染症の感染拡大といわれて1年近く経ってもワクチンの接種が進まず、肺炎の重症化の心配があったころです。

技能実習生の3人は同じ部屋に住んでいたことで次々に感染し、仕事を休まなくてはいけなくなりました。ニュースでは感染者数を示すグラフの山がぐっと上がっていた時期で、何をすればよいのか戸惑う社長から、再度私に連絡がきました。

技能実習生と私は電話で話すことになりましたが、片言の日本語のせいもあって「調子よくない。いろいろと」がやっと聞き取れるぐらいで、話が前後してなかなか趣旨がつかみにくいのです。

マネジャー職のみなさんに是非覚えておいていただきたいのが、人は混乱すると、物事を順序立てて説明するのがとても難しくなるということです。

職場の上司、通訳の人、私と、入れ替わり立ち代わり話を聴いて整理したところ、次のような不安を抱えていることがわかりました。

①言葉に不自由な国で、適切な情報が得られない不安
②未知の感染症で、体調が変化していく不安
③外出できないので、食料調達や医療へのアクセスなどが難しくなっている不安
④仕事の先行き、収入の目途が見えない不安
⑤母国の家族の健康や、仕送りができなくなるかもしれない不安

ＬＩＦＥの３構造に当てはめる

ＬＩＦＥの３構造（生命・生活・人生）にこのときの技能実習生の状況を当てはめると、次のように理解できます。

●「生命」の危機
●「生命」に影響を受けた「生活」への不安
●「生活」に影響を受けた「人生」への不安

まず会社は「生命」への対応策として、オンラインで3人の体調確認ができるように、技能実習生に画面の大きいタブレットを貸し出しました。

次に、ネットスーパーを利用できるようにしたり、翻訳アプリを使って困りごとの聞き取りをしたりして、「生活」への不安を解消しました。

「人生」への不安に対しては、決まった時間に社長と上司が励ましや職場の様子をSNSで伝えるなどして、会社としてできる限りの支援をしました。

マネジメントを合理性だけの視点で対応すると、表面的なものになります。人は合理性だけで動いていないのはご存知のとおりで、その人の信条や情緒の理解は欠かせず、そこに心身の状況も影響します。そこで、人を深く理解したマネジメントには、LIFEの3構造が手助けになるわけです。

感染症下という特異な事例ではありますが、ＬＩＦＥの視点をとおして、健康や福祉（福祉には生活の安定という意味もあります）を見渡し、その時々で、どのＬＩＦＥに比重をおけばいいのかをご理解いただけたと思います。

04

持続可能なチームとは「ウェルビーイング」な組織のこと

健康について「ウェルビーイング」の視点を追加して、さらに考えてみたいと思います。

ウェルビーイングは近年注目されている言葉ですが、1946年の世界保健機関（WHO）の憲章にすでに提唱されていて、決して新しい概念ではありません。特に保健医療職にとっては、半世紀以上前から聞かされてきたので、「なぜ今ごろ、また？」という感覚がありました。

世界保健機関憲章前文（日本WHO協会仮訳）によると、次のとおりです。

Health is a state of complete physical, mental and social well-being and not merely the absence of disease or infirmity.

【健康とは、病気ではないとか、弱っていないということではなく、肉体的にも、精神的にも、そして社会的にも、すべてが満たされた状態にあることをいいます。】

ウェルビーイングの4つの因子（要因）

また、「幸福学」を専門とする慶應義塾大学大学院システムデザイン・マネジメント研究科教授の前野隆司さんは「ウェルビーイングは、病気があるかないかといった狭義の健康とは別のもので、他人と比べられるカネ・モノ・地位などの地位財のように長続きしないものではなく、精神的、身体的、社会的に良好な状態の非地位財で4つの因子からなる持続されるものである」といっています。

前野さんのいう4つの因子（要因）とは、次のものです。

①【やってみよう因子】自己実現と成長
②【ありがとう因子】つながりや感謝、利他性、思いやりをもつこと
③【何とかなる因子】前向きで楽観的、何事も何とかなると思えること
④【ありのままに因子】独立性と自分らしさを保つこと

「働きがい」が感じられるウェルビーイングな職場

先ほどの技能実習生は、療養期間が明けたとき次のように言ったそうです。

「仕事を頑張ろうと思った」

「上司の言葉が嬉しかった」

「つらかったけど、何とか大丈夫だった！」

「これが『働きがい』かな？」

この言葉の中には、ウェルビーイングの４つの因子「やってみよう」「ありがとう」「何とかなる」「ありのままに」のすべてが含まれています。

また、彼らの言葉からウェルビーイングの４つの因子は、それぞれ独立したものではなく、お互いに影響を与え合っているように思えてなりません。

現在いろいろな解釈がされているウェルビーイングですが、私は次のように考えています。

図1-6

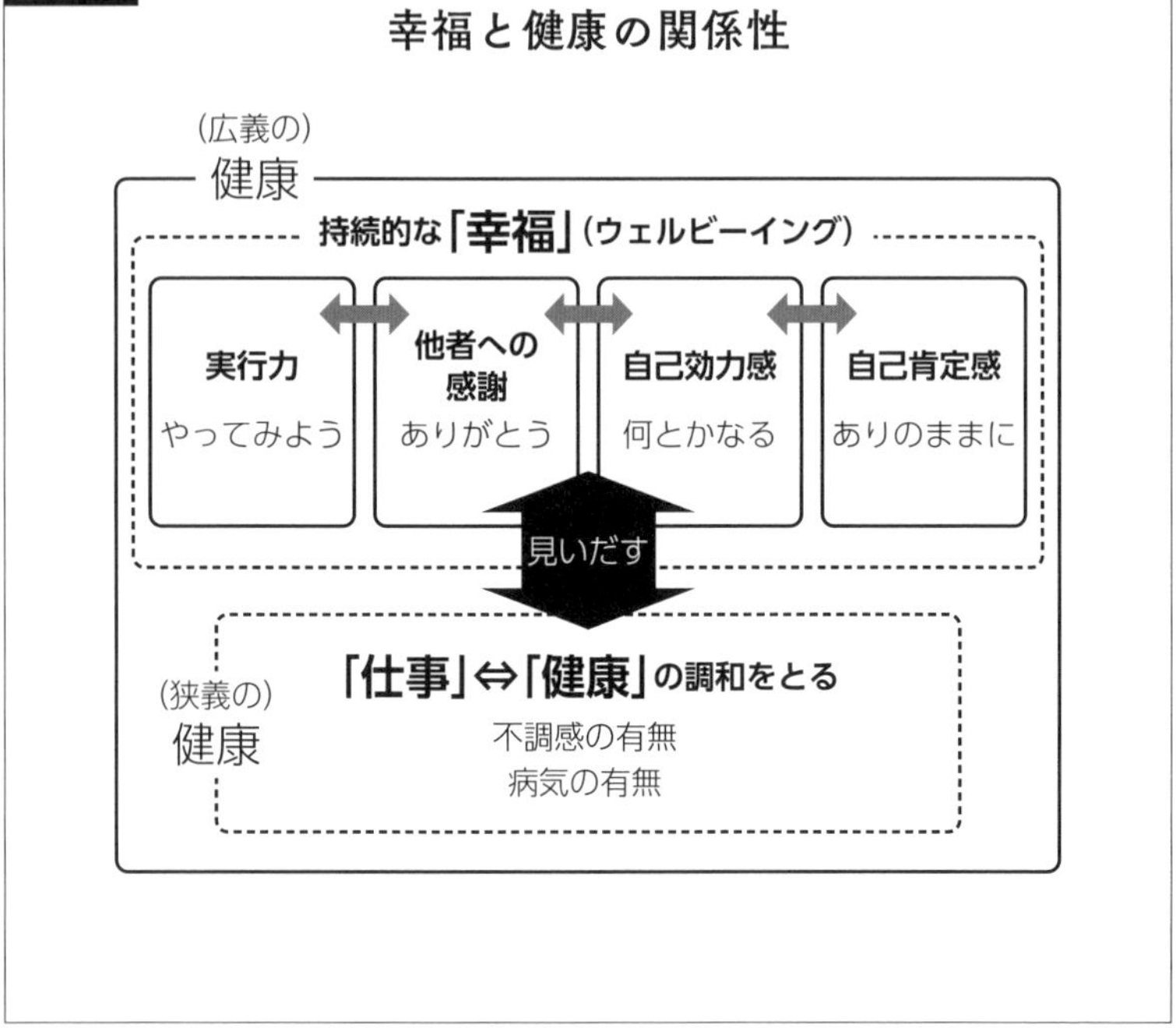

【ウェルビーイングとは、自分なりに健康をコントロールしながら、持続的な「幸福」を自ら見いだしていくもの】（図1―6参照）

持続的といっても、健康には当然波があるはずです。それでも「元気ですか？」と聞かれたときに、ある程度において「元気だよ！」と、自然に笑顔で答えられる状態がウェルビーイングではないかと考えるのです。

持続可能なチームは、ダイバーシティや人手不足に悩む職場環境にこそ求められています。

一方、「元気?」「元気だよ!」という、人としてもっとも基本的な声掛けが気軽にできるチームこそ、多少の突風(問題)が吹いても崩れない持続性に優れた組織といえるのではないでしょうか。

本書では、具体例を交えながら、持続可能なチームとは何かを、さらに掘り下げていきたいと思います。

05

持続可能なチームづくりは部下への目配り・気配りが基本

私が契約先企業の個別面談の機会などに、健康面での組織のマネジメントについてマネジャーに話題にすると、「自分がいくら頑張っても部下に問題がある」「会社（経営層）に問題がある」といったことを耳にします。

たしかに、マネジャーの頑張りだけでは解決しないことがあります。ここでは、それらの問題に応えられそうな、考え方や手段をお話しします。

職場の健康についての考え方で一番大事なのは「仕事で健康を損なわないようにする」ことです。そこに「健康状態を整えて、快適によりよく仕事ができるようにする」ことが上乗せされます（次ページ表1－1参照）。

表1－1

職場の健康の考え方

1. 仕事で健康を損なわないようにする	
目的	労働者と事業者を守る
方法	●法令遵守 ●安全配慮義務 ●リスク管理
2. 健康状態を整えて、快適によりよく仕事ができるようにする	
目的	生産性を向上させる
方法	●健康経営 ●福利厚生

事業者と労働者の義務

次ページの図1－7で詳しく紹介していますが、職場で目指す健康は、利益の追求のために、事業者と労働者の双方が目指すべき義務になるのです。「労災防止」も、事業者と労働者が守るべき義務です。

なお、事業者とは法人そのものを指しますが、マネジャーも事業者に含まれます。

健康に関する考え方とはいっても、ここに私のような保健医療職

図1-7
職場で健康を目指す背景

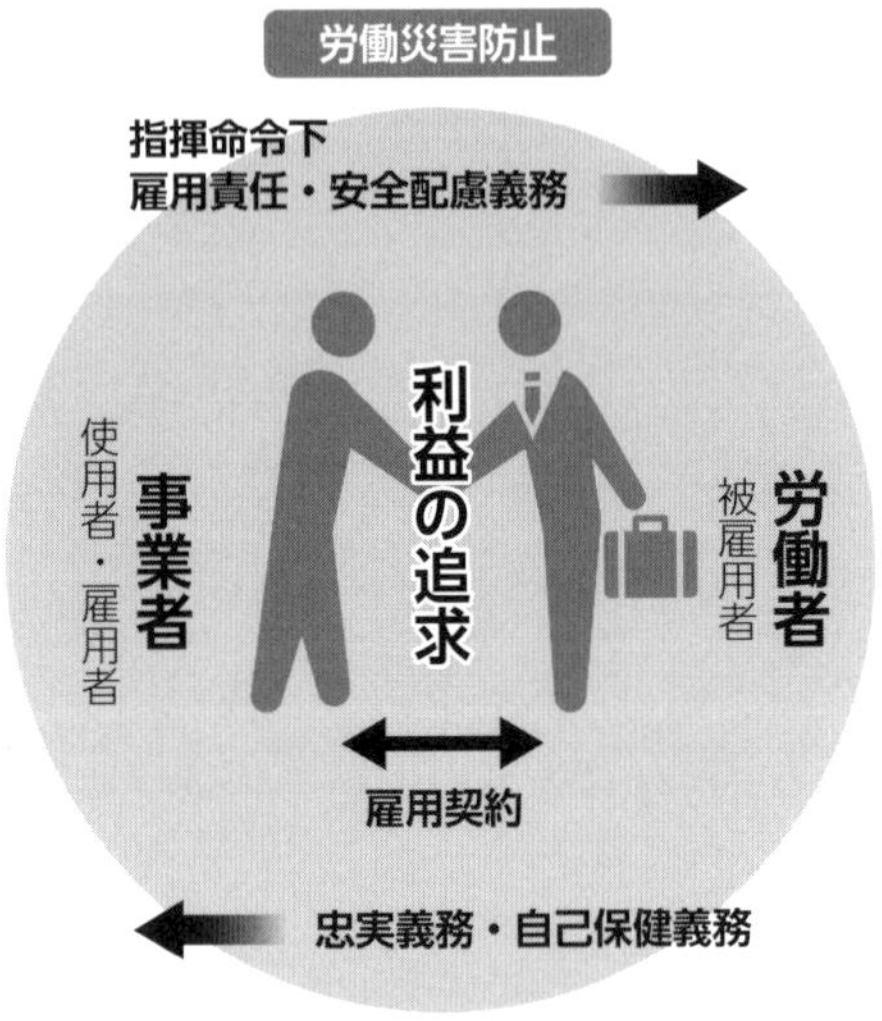

は登場しません。あえていうなら、保健医療職は事業者と労働者の双方の義務を支援する立場になります。

21世紀になったころから、「過労自殺」などの労災補償が頻繁にニュースなどで取り上げられるようになりました。

事業者の「安全配慮義務」という堅い言葉もずいぶん聞かれるようになり、マネジャー職は、このキーワードを強く意識せざるを得なくなりました。

一方の労働者はどうかとい

えば、人権がより守られるようになって、利己的に権利を振りかざす従業員が出てきたという話題も耳にします。もしかすると、そのような従業員は、労働者の「自己保健義務」（詳しくは192ページを参照）について教わる機会がこれまでになかったのかもしれません。

多忙なマネジャーに必要な「労務管理」の考え方

あらためて言うまでもなく、マネジャーには会社の方針に沿ってチームを動かしていくという役割があります。

したがって、任された仕事を部下にうまく割り当て、業務の進捗を管理することが重要になるわけですが、その管理には次のような「労務管理」も含まれていることをご存じでしょうか？

- 勤務状況の管理（出勤・欠勤などの勤怠管理や労働時間の管理）
- 賃金や勤務時間、休暇などの労働条件や労働環境の整備
- 部下の指導や育成

実際、労務管理に携わってみるとケースバイケースの対応に追われて公平性を保つというのはなかなか難しく、悩みがつきないものだと思います。私が行っている全従業員面談の中でも、労務管理はマネジャーから時々お聞きする困りごとの一つです。

ただでさえ、今どきのマネジャーは多忙で、守備範囲が広いです。

それでも、考え方を少しだけ変えてみるとやりやすくなるのではないでしょうか。

マネジャーは適材適所に仕事を割り振る「調整役」

労務管理というと、やらされ感のある、組織的な制約や抑圧のイメージがあるという声も聞きますが、今どきの働き方を考慮して「調整」のイメージをもつとしっくりくるかもしれません。

しかし、イメージは変わっても、業務の難しさに変わりはないでしょう。

難しさの原因は、人が「なまもの」だからです。

誰にでも日々いろいろな出来事があり、それに伴って常に心身が変化しています。そこでニュートラルな目線での目配り、気配りが必要となります。これは部下に日ごろ接しているマネジャーにしかできない貴重な采配なので、是非、頑張っていただきたいところです。

「嫌い」な感情は要注意！

誰しも「嫌だなぁ」「苦手だなぁ」と感じている相手はいます。マネジャーにも嫌いな部下がいてもおかしくありません。私が全従業員面談を行っている中で、興味深い気づきがありました。

上司が嫌っている部下は、たいていその上司のことを嫌っています。相思相愛の逆です。これは、ほぼ9割の確率で当たっています。

上司が表向きの表情などで多少繕ったとしても、醸し出される態度から「好きではない」という感情が部下に伝播するのでしょう。

逆に、上司が好感をもっている部下が、上司に好感をもっているかといえば、残念ながらこれは人によります。

部下は仕事の裁量を、上司のもつ権限に委ねざるを得ないところがあり、自分では思い通りにいかないことが少なくないからだと思います。

上司が好感をもたれにくいのは、ある程度しょうがないと割り切らないと、やっていられないことも多いでしょう。

マネジャーはあくまでも「役割」にすぎません。あなたという人格ではなく、仕事をしていく上での「上着のようなもの」と吹っ切ればよいと思います。

嫌いな部下が気にならなくなる、感情コントロール術

それでも、好きになれない苦手な部下がいるという方は、次のようなテクニックを記載順に試してみるのをお勧めします。

①嫌いな部下に対して、「嫌いだ」と思っている感情を認める

嫌いだなと思っている自分の感情に蓋をしないで、嫌いという感情を認め

てあげると、客観的に見ることができるようになります。

②「嫌いだ」という感情はいったん脇においておく

嫌いだなと思ってしまう感情を「それはそれとして」と、ひとまず脇においておきます。

③それでも、部下は大事なメンバーであることを心に刻む

部下は、チームという同じ船に乗って働くメンバーであり、その船の舵を取る船長があなたであることを今一度自覚してみると、好きだ・嫌いだというのはささいな感情にすぎないと感じられるのではないでしょうか。

④ニュートラルな目線で、仕事と部下の状態を理解して調整する

あなたの目線を意図的にニュートラルにした上で、部下の状態をよく観察してみます。相手をよく知ると親しみがでてくるものです。

- ✔ 体調は変わらないか？
- ✔ 仕事への意欲・能率に変化はないか？
- ✔ 進捗はスムーズか？

☑ 仕事上のトラブルはないか？

部下の不調のサインを見逃さない

次は、部下の不調のサインについて考えていきます。

「ケチナノミヤ（ケチな飲み屋）」サイン（次ページ図1－8参照）は、職場のメンタルヘルスを専門とする産業保健メンタルヘルス研究会代表理事の鈴木安名さんが著書『人事・総務担当者のためのメンタルヘルス読本』の中で、メンタルヘルス不調のサインとして提唱した語呂合わせです。

精神面だけでなく部下の労務管理でも、手を差し伸べるタイミングが明確になって、使い勝手がよいサインだと思います。

【ケ】欠勤

ここでいう欠勤とは、詳しい連絡がなく突然会社を休む、いわゆる「ポカ休」のことです。ある朝突然「今日休みます」と一言だけの連絡がくることを指します。前日の終業後の夜に連絡がくる場合も同じように考えます。

図1-8

「ケチナノミヤ（ケチな飲み屋）」のサイン

- **ケ** 欠勤
- **チ** 遅刻・早退
- **ナ** 泣き言を言う
- **ノ** 能率の低下
- **ミ** ミス、事故
- **ヤ** 辞めたいと言い出す

出所：『人事・総務担当者のためのメンタルヘルス読本（42ページ）図6「発見のためのサイン――〈ケチな飲み屋サイン〉」』（鈴木安名著、財団法人 労働科学研究所出版部刊）

誰しも風邪を引いたり、家族の体調が突然悪くなったりといった、さまざまな事情は起こるでしょう。

そういったしかたがないケースは別にして、「今日休みます」と一言だけのメールですませてしまう有休休暇を、チームのみんなが一斉に取得したら、当然仕事は回らなくなります。

一方で、部下から「有休を届け出るのに理由を言う必要は、法律上ないんですよ」と言われて、言葉に詰まったということは、マネジャーなら一度は経験していると聞きます。

たしかに、労働基準法では、有給休暇の取得に理由の説明は必要とされていませんが、特にチームで同じ業務をこなしている場合などは、3日前には申請することなど、あらかじめルールをつくって共有しておくと、仕事が突然止まるといったトラブルが未然に防げます。

また、このような欠勤を繰り返す部下がいる場合、メンタルヘルス不調の可能性もあるので、個別に話を聞くことが重要になってきます。それについては第2章と第3章でご説明します。

【チ】遅刻・早退

遅刻や早退も注意の必要なサインです。ポイントは、「以前からの変化」と「頻度」です。たとえば、今まで遅刻ゼロだった人が頻繁に遅刻をするようになった、月に数回早退するようになった、といった勤務の状態です。

このサインに敏感になるためには、勤怠のデータに加えて、部下のいつもと違う様子をその時々で記したマネジャーのメモなどが、貴重な手掛かりになります。人は事実をたいてい忘れて、そのときの印象の記憶だけで動いてしまいます。メモはそういったことを防ぐのに有効です。

ところで、外国人やキャリア採用など、文化も年齢も異なるメンバーが増えた職場では、「暗黙の了解」となっている始業・就業の認識が食い違っていることも多いようです。

たとえば、出社時間は、始業時間までに仕事に着手できるようにしておく時間なのか、職場に到着していればよい時間なのか、明確にするということです。新たにメンバーが増えたといった節目に、始業・終業、そして遅刻や早退についてのルールも共有しておくとよいでしょう。

フレックス勤務や裁量労働の場合は考え方を少し変えて、勤務時間の変化と仕事の成果を併せて見ていきます。

自由度の高い働き方は、体調の変化がわかりにくい特徴があります。また、自由度の高い働き方を好む人の集団では、時間管理に抵抗をもつ人も多いのですが、時間の管理は部下の体調管理に直結するため、軽視しないほうがよいといえます。

実際にあった事例ですが、次のような場合は体調を確認してください。

- フレックス勤務で少しずつ始業時間が後ろ倒しになって、いつの間にか夜型の仕事になっていった
- 勤怠のデータを見ると徐々に勤務時間が長くなっているが、仕事の生産性はそれほどでもない

「夜型でも本人が仕事をしやすいと思っているなら、いいんじゃない」と、言ったマネジャーもいましたが、夜型の仕事は特段の事情がない限り、お勧めしません。

基本的に人間の身体は、日の出と日の入りのリズムで体内時計が動いています。太陽光を浴びることで脳内のセロトニンが増加し、不安や抑うつ気分が軽減します。

そして、同じ時間であれば、夜間の作業量よりも昼間の作業量のほうが多くなる、つまり、昼間のほうが仕事ははかどるわけです。

シフト勤務の仕事は別として、昼の時間を中心にした仕事の設計が望ましいのです。

【ナ】泣き言を言う

部下が口にする弱音には、特に注意をしてください。部下が上司に弱音を吐くときは、ほとんどの場合、黄色信号か赤信号です。

ただし、あなたから情報やアイディアを伝えることで払拭できる弱音ならば、ひとまず安心です。

マネジャーのあなたも同じではないでしょうか。自分より立場が上の人だと、よほど関係ができていない限り、そう簡単に弱音は言えません。

弱音を聞いたときは、まず、どんなに忙しくても30分くらいの時間を確保して「じっくり」話を聴いてください。

聴くだけで話が整理されて解決に向かうこともありますし、黄色なのか赤色なのか危険サインの色の程度がハッキリわかります。

ちなみに、「自分なんて」と卑下した言葉や、「自分は、もうどうなってもいい」といった自暴自棄な言葉を上司に発したときは赤信号です。

そのようなときは、様子を見るなどと悠長なことをしてはいけません。危険サインが出たときの対処法は、第3章でご説明します。

【ノ】能率の低下

以前に比べて、同じような仕事をするのに時間がかかっているときも注意が必要です。そのためには、日ごろから、部下がどんな仕事を、どのくらいの時間でやっているかを知っておく必要があります。

時間がかかっているのが、わからないことがあるといった明確な理由があれば、それを補充する人や情報、ツールを探します。

困りごとを調べて一人で解決するまでが仕事、と考えるマネジャーもいるでしょう。

もちろん、そういった部下側の努力はある程度必要ですが、困っていることを整理できずに、混乱した情報が頭の中で堂々巡りをしている場合もあり得ます。このような場合は、上司からの声掛けが有力な助けになります。

【ミ】ミス・事故

文章の誤字・脱字や日付の間違い、単純な計算ミスなどは、疲労や余裕のなさにも起因します。

「気を付けるように」と注意しても、解決しないことも多いものです。ミスが起きないための対応や仕組みを整えることも、マネジャーとして考えていく必要があります。

また、製造業であれば機械による事故、仕事で車を運転するならば交通事故もあります。それだけでなく職場でのちょっとしたケガや揉め事、お客様からのクレームといったトラブルも要注意サインです。

原因を本人と一緒に整理しながら、体調不良の可能性も気に留めておく必要があります。具合の悪いときは、誰しも理性的な行動ができなくなるものです。

【ヤ】辞めたいと言い出す

「今どきの若い人は、すぐに辞めたいと言うらしいし、転職は今どき当たり前のことだから」とは、よく聞かれる話です。

昔に比べて転職市場は広がり、転職への心理的ハードルはずいぶん下がりました。自分に合った仕事がほかにあると熟慮した上での決断ならば何も異論はありません。

それでも「辞めたい」という言葉を聞いたときには、2つの視点を大事にしてください。

1つ目は、体調が悪くて、今の仕事から逃げたい・離れたいという気持ちから発せられた可能性はないか？　ということ。

体調が悪くて発した言葉であれば、辞めたい気持ちに賛同してはいけません。まずは、具合をよくするための対応を考えましょう。

もう1つは、「辞めたい」は、今の職場にある課題改善のきっかけとなる貴重な声であるということ。**この課題の解決は、ほかの人が働きやすくなり、**

持続可能な職場づくりのヒントになる可能性が秘められています。

この2つの視点を意識して、「辞めたい」と言われたときには、その背景をよく聴いてみましょう。

特に【ケ】【チ】【ナ】【ヤ】には注意！

「ケチナノミヤ」サインを提唱した鈴木安名さんは、次のような興味深いことをいっています。

「ケチナノミヤ」のサインの中で、職場で先に現れる不調のサインが、【ノ】（能率の低下）と【ミ】（ミス・事故）です。

それが進行して【ケ】（欠勤）、【チ】（遅刻・早退）、【ナ】（泣き言を言う）、【ヤ】（辞めたいと言い出す）が続くというのです。

【ケ】【チ】【ナ】【ヤ】が出たときには、かなり心配な状況といえます。

では、最初に現れる【ノ】【ミ】に一番早く気づくことのできるポジションにいるのは誰かといえば、マネジャーしかいません。

図1－9

引き出すサイン

部下の不調に気づくためのポイント

身体症状

➡ **3**つの「い」

- 眠れない
- 食べたくない
- だるい、疲れやすい

以上が**2**週間以上続く

＋

精神症状

- 仕事に行きたくない
  これが進むと
- 消えてしまいたい
- 仕事を辞めたい

➡ 死ぬほうがましかも

出所：『人事・総務担当者のためのメンタルヘルス読本（27ページ）図3「気付きのためのポイント」』
（鈴木安名著、財団法人 労働科学研究所出版部刊）

ここまでお伝えしたのが、「見えるサイン」ですが、引き出さないとわからないサインもあります。

部下の不調に気づく「3つの『い』」

「引き出すサイン」として次にご紹介したいのが、これも鈴木安名さんが提唱しているもので、「3つの『い』」です（図1－9参照）。

- 眠れな**い**
- 食べたくな**い**
- だるい、疲れやす**い**

これは、メンタルヘルス不調の

可能性が高いときに表れるサインです。

部下との会話から「3つの『い』」が耳に入ってきたときは、聞き流さないようにしてください。

日々の勤怠を見ながら、「ケチナノミヤ」のサイン、「3つの『い』」のサインを見過ごさないようにすると部下の健康の舵取りがスムーズになります。サインをキャッチしたときの対処については、次の第2章と第3章でご説明します。

06

上司と部下のすれ違いは、なぜ起こる？

私が全従業員面談を行っていて、よく出る話題といえば、職場の人間関係の悩みです。

国の調査でも、強い不安やストレスになる原因には「対人関係」が挙がっています。厚生労働省の「令和４年労働安全衛生調査（実態調査）」での回答でも26・２％、実に４人に１人以上が対人関係から強いストレスを訴えていることがわかります。

面談でお聴きするのも「上司がわかってくれていない」が、一番多い悩みになります。何をわかってくれていないかといえば「自分の状況を理解してくれていない」「状況をわかってくれていないから仕事の指示が適切でない」「評価が不適切」といったようなことです。

それでは、その上司のマネジャーに面談で話を聴いてみると、多くの方が「自分はチームのことは掌握している」と言われます。そして、「部下は上司の立場や、上司が見ている状況がわからないから好き勝手なことを言うのだ」と言われることもあります。

このような部下の言い分と上司の言い分とのすれ違いや食い違いは、肌感覚ながら7割以上の職場であると感じます。

しかし、上司と部下の理解の不一致は、よくあることだからそのままでよい、とはいえません。

一方でイキイキして見える部署のマネジャーは「部下のことはわからないことが多い。同じく部下も上司のことがわからないみたいだけれど」と前置きして話をする傾向があるように思います。

「わからないことを前提に、随時、わかろうとする」

「それでもわからないことが多いから、聴いて・話してを丁寧に繰り返す」

「しつこくなりすぎないように。そしてすべてをわからなくてもいいと思うようにしている」

先述の上司が部下を嫌っていると、部下も上司のことを嫌う傾向にあり、感情は伝播するという話に似ているように思います。

部下をわかろうとする姿勢は、ときに鬱陶しく思われる場合もあるでしょうが、上司から関心を寄せられて不快に感じる部下は少ないはずです。**「わからないから、随時、わかろうとする」という姿勢は、部下を受けとめようとするもので、部下の承認欲求を満たすものです。承認欲求が満たされれば、部下の自己肯定感はおのずと高まり、自分の仕事に対して自信や責任感をもつようになります。**

「何かあったら」は禁句

「何かあったら言ってくるように」は、上司から部下への声掛けとして時々耳にしますが、これは使わないほうが賢明な判断といえます。

「何かあったら」というのは、「こと」が起きてからという意味になります。「こと」が起きないようにするのが仕事であり、持続可能なチームづくりにもつながるはずです。

では、わかろうとするためにどのように接近するか？　ですが、「何かあったら」の言い換えとして、「何か気になることがあったら声をかけて」がよいでしょう。

そのような内容を管理職研修などで話すと「『気になること』なんて相談の間口を広げたら、やたら声かけされるのでは?」と、訝しがる方もいます。

「ひっきりなしに声をかけられたら、たまったものじゃない。自分の仕事が手に付かなくなる」

大丈夫です。それでも多くの部下は上司に遠慮するものです。

07

ふだんのさりげない声掛けがポイント！

多様性のある人の集団では、人と人との気持ちが一致しにくいはずです。でも、気持ちが一致しなくても信頼関係は築けます。

信頼関係を結ぶ基本行動として、まず、私が挙げたいものに「挨拶」があります。ここでいう挨拶には、軽くお辞儀をするだけの会釈も含みます。「おはようございます」「お疲れさまでした」といった挨拶は、相手の存在を認める行為です。目を合わせて笑顔で挨拶されて不快に思う人はいません。といっても、挨拶することが苦手な人や挨拶の効用を軽視する人はいます。

多くの職場を訪問したところ、自然によい挨拶ができている職場もあれば、まったく挨拶のない職場もあることに気づきました。

気持ちよく挨拶の飛び交う職場は、挨拶以外のコミュニケーションもスムーズです。

挨拶のない職場には、それ相応の事情があると説明を受けたことがあります。「フレックス勤務で出社時間や退社時間がみんなまちまちで、出社するたびに挨拶をされると、『おはようございます』『おはようございます』ってうるさいじゃない。先に出社して仕事している人の気が散るから、挨拶はしないことにしている」とのことでした。

しかし、似た勤務形態の職場でも、挨拶ができている職場はあります。どうやら「職場の事情」は絶対的なものではなさそうです。

挨拶は一番のコミュニケーション

挨拶のできている職場では、挨拶はお互いを認め合うものであり、仕事を円滑に進める作法であるという挨拶の価値を認め合っています。

また、出社・退社時は入り口で会釈をする、自席から離れてすれ違うときは小声の挨拶と会釈、目が合ったときにも会釈、一堂に会する打ち合わせでは声を出して挨拶というような暗黙のルールがあります。

挨拶がない職場で突然習慣化させるのは難しいでしょうが、形式的な動作の積み重ねで組織の習慣はつくれます。

逆のパターンもあります。きちんと挨拶のできていたチームが、マネジャーの交替でチーム内の挨拶がなくなってしまったという職場がありました。挨拶がなくなると、ちょっとした声掛けも難しくなって、チーム内のコミュニケーションはぎくしゃくしていきました。

ほかの要因もあったとは思いますが、その職場ではメンタルヘルス不調を訴えるメンバーが次々と出てきました。

仕事の始まりと仕事の終わりの挨拶こそ、絶好の機会です。マネジャーの挨拶は、仕事の仕切りになります。挨拶は、公平にメンバー全員に目配せして行うことをお勧めします。

「元気ですか?」は、本書の冒頭でお伝えしたフレーズです。笑顔で、明るすぎず無感情になりすぎずの口調です。これは、決して病気であるとか具合の悪そうな人に向けたものではありません。チーム全体の元気（ウェルビーイング）を鼓舞する狙いも込めています。

「元気?」という投げかけは、慣れていないと、声をかけるほうも、かけられるほうもはじめは戸惑います。

「なんで、そんなことを聞くんですか?」「(ぶすっとして) 元気ですよ」「忙しいんだから、元気なわけないじゃないですか」といった反応もあるでしょう。

そういった反応があったときは、「ちょっと気になったからだよ」とか「そうなの?」などの、二言三言の会話を続けることができます。

そこで仕事の状況がわかることもあれば、マネジャーが対応すべきことをいち早く察知できることもあります。「仕事で気になったことがあったら言ってね」と今後につなげることも可能です。

「感情」はある程度呼応します。嫌いな関係であっても、目を合わせて笑顔で挨拶できれば、関係の仕切り直しのきっかけになります。

どうぞ、しっかり毎日メンバーの顔を見てください。そのときは、自分の表情や声もやさしいものになるように意識すると効果的です。日々の微妙な表情の変化をキャッチできたら、より的確なメンバーへの仕事の割り振りになっていくはずです。

そうして、毎日意識して笑顔で目を合わせることで、チームの動きは必ずスムーズなものに変わっていきます。

第1章／まとめ

- 「元気?」は、具合の確認、主観的な元気の意識化、気遣いのメッセージ
- 「LIFE」の3構造（生命、生活、人生）をベースに、部下の健康状況を把握し、対応の手掛かりにする
- ウェルビーイングの4つの因子「やってみよう」「ありがとう」「何とかなる」「ありのままに」は、職場の「働きがい」につながる
- 「ケチナノミヤ」サインや「3つの『い』」サインを意識する
- 挨拶を習慣にして、毎日短時間であっても目配り、気配りを忘れない

第2章

「ウェルビーイング」なチームをつくる日々の対応

実践編

平時

01

昭和型・平成型・令和型のマネジメント

——令和型は、多様な部下にコミットする「下から目線」がポイント

昔はもっと厳しかったし、自分はそれを乗り越えてきたのに……。


そんな気持ちになることはないでしょうか?

私が個別面談で、マネジャーから実に頻繁に聞く言葉でもあります。

共感をもってうなずくと、このあとに堰を切ったように続く言葉が、「今どきの若者は……。いや若者だけでもないかな」。

たぶん「若者は」のあとには、「何て甘いんだ」「何て弱いんだ」「何て仕事ができないんだ」といった言葉を吐き出したいところをぐっとのみ込んでいるのでしょう。

さらに次に続く言葉は、「何でも『ハラスメント』って言われるから何も言えない」「無視もハラスメントになるっていうから、いったいどうすればいいのかわからないよ」です。

私は、それらのマネジャーの部下の個別面談も行っているのですが、そこで部下がよく口にするのが「上司の『圧』がつらい」です。

ハラスメントに敏感になった昨今、職場でもハラスメント行為を避ける心理が働くようになったのはとてもよいことです。しかし、**上司がハラスメントの根源にある苛立ちや不満を抑制（我慢）した結果、意図的ではないにしろ語調や態度で部下に「圧」を掛けているとしたら、本末転倒ともいえます。**

ちなみに、ハラスメントに詳しい株式会社クオレ・シー・キューブ元代表の岡田康子さんは、共著『パワーハラスメント〈第2版〉（46ページ）』（岡田康子／稲尾和泉著、日本経済新聞出版社刊）の中で、「パワハラは『コントロールできなくなった否定的感情が生み出すものだ』という側面から考えていきます。否定的感情とは、怒り、不安、嫌悪感、劣等感、焦燥感が主です」と述べています。

本章では、昭和、平成、令和と時代ごとに影響を受けてきた私たちの価値観に着目することで、令和の今、求められるマネジメントについて考えてみたいと思います。

それでは、昭和からざっと振り返って見てみましょう。

トップダウンが効果的にきいた、昭和のマネジメント

昭和の職場で、マネジメントという言葉が一般的に使われていたかは定かではありませんが、昭和のマネジメントのイメージといえば、郷に入っては郷に従えで「上から言われたとおりに働け！」という感じではないでしょうか。

この時代、トップダウン型の働き方が成り立っていたのは、背景に朝鮮戦争の特需で製造業が躍進し、それを支える労働力人口が戦後のベビーブームによって確保されていたことがあります。

また、第二次世界大戦の名残で、軍隊式の働き方がそのまま職場に転用された背景も、大きく関与していたようです。

このときの価値観が今でも私たちの中に、無意識のうちにも根強く残っているために「なんで、今の人たちは」という気持ちになってしまうのでしょう。

こんな価値観のズレが怒りにつながり、部下には圧に感じられることが推測できます。

昭和のマネジメントの特徴について、懐かしそうに話してくれた人がいました。

「昭和の職場は荒っぽかったけど、『温情』もあった。お金に困っていたら工面してくれたり、家族が困っていたら首を突っ込んでお節介を焼いてくれたりして、助かったなぁということが多かったね」

思えば、昭和の時代は職場でも相互扶助の考え方が強くて、年功序列を前提に、何十年も一緒に仕事をする関係だったからこそ成立した「温情」だったのではないかと思えてしまいます。

その一方で、昭和の時代は経済という社会の利益を最優先し、人権を軽視していたという問題があったのもご存じのとおりです。それが、現在のハラスメント対策にもつながっています。

フラットでドライな、平成のマネジメント

平成の時代は、長引く景気低迷の影響から何事も効率重視となりました。職場では合理化が進み、組織はフラットなかたちへと変化していった結果、温情的な対応はどんどん姿を消してしまった印象を受けます。働き方でいえば、派遣労働で働く人が増えたのも、平成に入ってからのことです。

マネジメントでは、情報共有や意思決定が迅速に行われるようになり、ビジネスライクでドライな対応が好まれた時代だったと思います。

言葉遣い一つを取っても、職場内の役職や年齢差をあまり意識しない、フランクなコミュニケーションが進んだ印象があります。

同時にソーシャルメディアの発達で、職場の電話を取れない若者が話題になるなど、ドライすぎる一面が問題になったのも記憶に新しいところです。

それまで当たり前だった過重労働（長時間労働）にもメスが入りました。長時間労働の問題意識が高まり、医学的にもその根拠になる労働時間と健康

問題についての研究結果が積み重ねられた結果、法制化にもつながりました。

過重労働対策の中でも、客観的な評価と対策を行いやすいのは「時間」なので、現場のマネジャーは、これまで以上に時間管理にまつわる作業が増えました（過重労働の健康影響については第4章で解説します）。

平成が終わってまだ10年にも満たないので、今のマネジャー職の価値観には、平成型マネジメントが色濃く残っているのは言うまでもありません。

目配り・気配りが求められる、令和のマネジメント

令和に移行した今、何より実感をもって言えるのが、1990年代後半以後に生まれたZ世代を筆頭に、昭和や平成のころと同じような価値観で働ける人はかなり減っているということです。

価値観の違いばかりでなく、「新たに人を採用したくても、なかなか人が集まらない」といった話はどこでもよく話題に上ります。昭和や平成の時代では、一時の好景気を除くと考えられなかった問題です。

人手不足を埋めるための機械化も進んでいますが、従業員の高齢化、病気の治療と仕事の両立、外国人労働者の増加など、令和ならではの問題が顕著になってきています。**令和型のマネジメントは、昭和型や平成型のマネジメントに比べて、部下に対して目配り・気配りしないといけない点が増えたわけで、どう仕事を回したらよいのかが複雑になった状況に違いありません。**

昭和型・令和型マネジメントから学ぶべきもの

ここまで、ざっくりとですが、昭和、平成、令和の時代背景や価値観とマネジメントの関係を見てきましたが、それらをまとめたのが、次ページの表**2－1**「時代別の典型的なマネジメントとその特徴」です。

「昭和の時代はよかったな」という郷愁の念は決して悪いものではありませんし、部分的に昭和のマネジメント技法を見直すことで今でも使えるものはあるでしょう。

しかし、昭和の課題、平成の課題をクリアして到達したのが「今」です。また、昭和の課題、平成の課題の積み残しが今につながっています。今を生きる私たちは、やはり、今に向き合っていくしかありません。

表2-1

時代別の典型的なマネジメントとその特徴

タイプ	目線	特徴
昭和タイプ	上から目線	トップダウンがきく組織に機能する
平成タイプ	横から目線	合理化の進んだフラットな関係に機能する
令和タイプ	下から目線	多様な部下に機能する

特に、昭和のマネジメントの負の一面がハラスメント、人権です。この人権をマネジャーも意識しないと、これから先は部下をまとめることが難しいといえます。

02

「わかり合えていない」ことを前提に話をする

——部下の強みに着目する「うきわ」のルール

多様な人材を抱えるようになってきたなかで、職場での遭遇率が高く、かつ対応の難しいケースとして「年上の部下」が筆頭に上がります。

最近特に、40～50代前半のマネジャーに、年上の部下が増えてきているようです。これは、採用数の多かったバブル期入社の社員が定年を迎えはじめていることが原因です。

ならば、人手不足の昨今、定年後も再雇用制度を利用して長く働いてもらい、貴重な戦力になってもらおうという流れが多くの会社で定着してきました。

このような60歳以上のベテラン社員は、会社のことを知りつくしていて戦力にはなるけれど、現場のマネジャーの思いは複雑なようです。

年上部下に頑張ってもらうためには？

●マネジャー　「かつての上司が部下になると、口の聞き方が横柄だったり傲慢だったりして『どっちが部下だかわからないよ』という気持ちになる。気を遣って、とても疲れる」

●年上部下　「あいつ、偉そうな態度を取りやがって。昔、仕事を教えて面倒みてやったのを忘れているのか」

職場の年齢構成によりますが、一般的に部下が増えれば、年上部下との遭遇率も増えるので、右記のような悩みも出てくることでしょう。誰しもいつかは定年を迎えるので、「お互いさま」と思いたいところですが、マネジャーのやるせなさは理解できます。

年上部下のほうも、時代が変わったといっても年下の上司から指示されたり、注意されたりするのは概ね気分のよいものではないでしょう。

年上部下に頑張ってもらうのに、「上から目線」は逆効果でしかありません。

「こういう理由で、このようにしてください」といった理屈による説明は、気持ちに余裕のあるときは受け入れられるでしょう。しかし、年上部下の場合は、ときに定年延長による賃金の減少などによるやりきれなさも後押しして、「(元部下に説明されても)あまり労力を割きたくない」「理屈はわかるけど受け入れがたい」という気持ちが強くなりがちです。

「人は理屈によって納得するが、感情によって動く」と言ったニクソン・アメリカ元大統領の言葉が思い出されます。

若い部下も「上から目線」には抵抗感がある

実は、若い部下からも次のような言葉を聞くことがあります。

「○○マネジャーは、物腰は丁寧だけど、『上から目線』な態度だから、イラっとくるんですよ」

年齢が若い人であっても、「上から目線」な姿勢には敏感で、拒否的な気持ちがあることがわかります。

前述の**表2-1**で見たとおり、令和タイプの「下から目線」には、「リスペクト」の意味があります。リスペクトといっても絶大な尊敬をもってくださいといった大層な意味ではありません。もう少し軽い「敬意」です。部下の存在を認めているという敬意で、その姿勢が「下から目線」なのです。

ちなみに、姿勢とは「事に臨むときの心の持ち方」のことです。姿勢と似た言葉に「態度」がありますが、姿勢は意識して示すもので、態度は思わず出てしまうものといった違いがあります。

「下から目線」は「姿勢」が重要

部下との対応に言葉が詰まるようなことは、多くのマネジャーが経験するようで、管理職向けのメンタルヘルス研修のときなどに、「こんな場面で使える『言い換え』ってないですか？」という質問を受けるときがあります。

たしかに言い換えたほうがよいときもありますが、言い換えだけに注意が向くのは危険です。言葉に意識が向きすぎて、思わず昭和タイプの「上から目線」がにじみ出てしまう場合もあるので、要注意です。

よく部下が自分のマネジャーの印象を「目が笑っていない」「言葉だけ」

「語調が強い」など、なかなかシビアに表現します。

いくら上司がよいことを言っても、にじみ出る態度を部下がキャッチしてしまうと、せっかくの言葉が伝わらないようです。だから、「下から目線」のリスペクト、敬意をもつ姿勢がまず重要になるのです。

部下の強みに着目する

多様性は、独自の強みがあると解釈することもできます。異なる見方・情報・文化は、仕事の深みや広がりにつなげられる可能性があります。

たとえば、年上部下だと過去の経験やその年齢だからこそわかる気づきがあったり、外国人部下だったら異国での経験や日本とは異なる習慣があったりします。自分の子どもぐらいの年齢の部下であれば、その年代ならではの価値観をもっています。

多様性の時代だからこそ、部下のさまざまな強みに意識を向け、敬意を払います。そんな好奇心からの「下から目線」なら、どんな人にも心証は悪くないでしょう。

図2-1

「うきわ」のルール

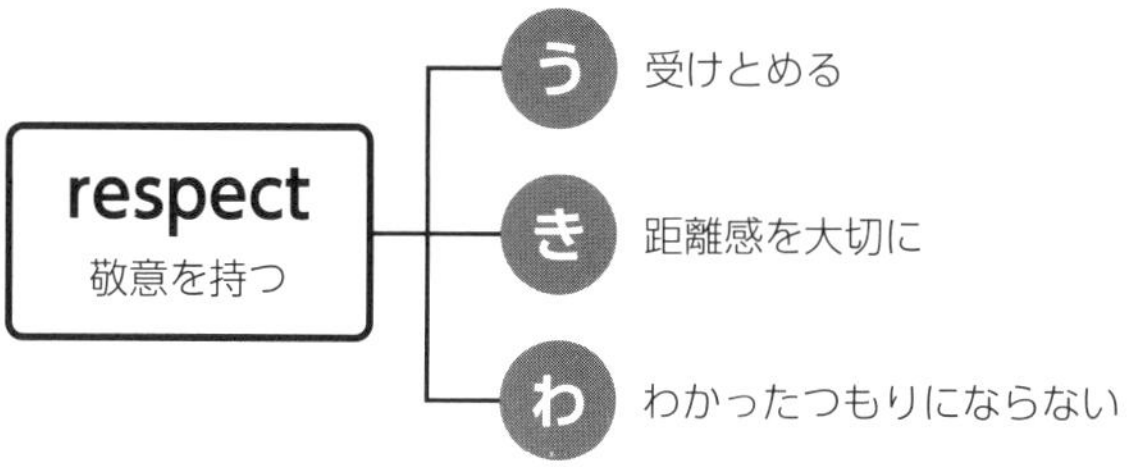

マネジャーのあなた自身も、かつての上司から自分の持ち味に関心をもって話を聞いてもらった経験があったと思います。そのとき、どこか誇らしく、前向きな気持ちになりませんでしたか。**是非、そんな気持ちを思い出しながら部下の言葉に耳を傾けてみてください。**

もう少し「下から目線」の意義が腑に落ちるように、本書で意図する「下から目線」のポイントを図2－1にまとめました。

覚えやすいように頭文字を語呂合わせにして「うきわ」のルールと覚えてください。

【う】受けとめる
【き】距離感を大切に
【わ】わかったつもりにならない

【う】受けとめる

前章の内容に重複しますが、どうしても好きになれない部下がいる場合でも、まずは感情を抜きにして「そのまま」を受け入れてください。

不思議なもので、人はそれまでの経験などから、外見や雰囲気など何となく、という理由だけで否定的な感情が沸き上がることがあります。その感情に気づくことがまずはじめの一歩です。「あ、この人、ちょっと嫌な感じだな」といった感情です。否定的な感情に気づいたときは、それをちょっと脇においておきましょう。

そして「相手に備わっているよさを見つけよう」と、部下の存在を受けとめましょう。「この部下はどんな強みをもっているのだろう？　仕事で活かせないかな？」といった関心です。

部下は、こちらのにじみ出てしまう態度を察知します。にじみ出てしまった態度が肯定的なものとして認知されたときに、あなたへの眼差しは自然と好意的なものに傾きます。

【き】距離感を大切に

「昔だったら一緒に飲みに行って親しくなれたのに」。そんな気持ちをもつこともあるでしょう。飲食を共にすることで得られる一体感は、たしかに大きく、お酒が入ることで解放感が得られるということもあります。

しかし、飲酒は大脳辺縁系を麻痺させるので、理性のタガが外れます。信頼関係ができていない段階では、思わず口にしてはいけないことが出てしまわない程度の会食が無難で安全です。

仕事とプライベートの切り分けは、原則的には必要でしょう。とはいえ、少し打ち解け合えたなら、部下の健康や労務管理をするうえでも、家族の話や休日の過ごし方など、いくらか私的な情報のやりとりがあったほうがよいと思います。

ここで大事なポイントは、**チーム内のメンバーには公平な姿勢を示すことです。上司も人間なので、好き嫌いの感情に蓋をすることは難しいと思います。だからこそ、くれぐれも、チームメンバーには、その素振りは見せないように、鬱憤は整理して消化し、昇華させてから接してください。**

部下は、上司の些細な選り好みや対応の違いに敏感です。

しかし、面と向かってその不満を上司に伝えることをしないため、上司は気づきにくいものだということを覚えておいてください。

大切にするとよい距離感をまとめると、次の2点になります。

- **原則「公私」は分けるが、「仕事への差しさわり」を基準に、私的な内容に踏み込むことが必要な場合もあると心得る**
- **チーム内のメンバーには公平な姿勢を示すこと**

【わ】わかったつもりにならない

私たちは、無意識に人にレッテルを貼ってしまうことがあります。

これは、おそらく人の頭の中での無意識の整理法なのでしょう。多様性の時代には、この「無意識のレッテル貼り」にも注意が必要です。

健康に目配りしながら、誰もが気分よく働く

「うきわ」のルールを見てきましたが、いかがでしょうか。いかに気分よく働いてもらうか、そして、単に気分だけでなく、その基盤となる部下の健康とも連動させて考えることが、持続可能なチームを考えるときに必須であることがご理解いただけたと思います。

次に、自分も部下も気分よく働くためのヒントになる事例を、2つご紹介します。

1つ目は、職場で事故が起きた際に問われる、マネジャーのとっさの対応力を示唆する事例です。

30代男性の戸山さんは、保険代理店の社員です。糖尿病で、定期的に受診して服薬治療をしていました。

ある日社内で、蛍光灯を取り換えようと脚立に上ったところ、ふらつ

いて墜落し、右足の小指を骨折してしまいました。
同僚によると、最近の戸山さんは夜を徹してネットゲームにはまっているということでした。
ケガをしたとき、上司は「どうせ昨夜もゲームに夢中になり、睡眠不足だったのだろう」と判断しその場で注意したところ、戸山さんは不服そうに上司と同僚をジッとにらんだままでした。

あとになって、上司がそのときの状況を詳しく聞いたところ、糖尿病の血糖値のコントロールがよくなく、ふらつきがあったことがわかりました。さらに、間違った脚立の使い方をしていたことも判明しました。

【上司は、こうすればよかった!】

- ✔同僚の噂をそのまま鵜呑みにしないで、まずは本人に「どうした? 何かあったのか?」と確認すればよかった
- ✔いつもと違った危険な行動(ふらつき)があった場合、生活行動(夜更かし)だけでなく、病気の影響を想定できるとよかった
- ✔脚立置き場に正しい使い方を掲示しておくなど、安全教育に配慮すれ

ばよかった

余談になりますが、脚立の天板にまたがったり、乗ったりしての作業はバランスを崩しやすいので、禁止されています。職場で多い労災発生原因の一つとされているため、たかが脚立と軽視せずご注意ください。

2つ目は、女性ならではのデリケートな健康問題に、男性上司がどう対処すればよいのかを示唆する事例です。

30代女性の中野さんは、広告代理店の社員です。かれこれ1年以上も、毎月生理休暇を取得していました。すでに有給休暇も完全に消化しています。

有給休暇すらなかなか取れない状況の職場のメンバーは、中野さんの生理休暇が面白くありません。

それに対して上司（男性）は、デリケートな問題だからと黙々と休暇の申請を承認していました。

ある日、同僚の一人が生理休暇中の中野さんが男性と繁華街を楽しそうに歩く姿を偶然見たと言って、翌日のミーティングでそのことを話題に挙げました。

当の中野さんは「当然の権利としての休暇なのに、プライバシーの侵害だ」と怒りをあらわにしました。

メンバーは一斉に中野さんと上司に厳しい視線を向けて、冷ややかです。このままではチーム全体の雰囲気が乱れて、みんなやる気を失ってしまいそうです。

なお、別の同僚は、休暇の翌日は中野さんの表情が明るいことが気になっていたと、あとになって思い出していました。

【上司は、こうすればよかった!】

✔何かおかしいかもしれないと気になった時点で、体調と仕事との兼ね合いはどうなのか、ざっくりと本人に確認しておけばよかった

✔上司が踏み込んで聞きにくい体調については、同性の人事・総務担当者や、産業医・保健師などの医療職に、まずは上司が「どんな声掛けが適切か」を相談してみるとよかった

☑生理休暇の目的や利用について、誰もがわかるように共有しておけばよかった

03

「ウェルビーイング」を意識したコミュニケーション

——「昨日、眠れた?」はプライバシーの侵害?

ここからは「下から目線」の次のアクションとなる、「ウェルビーイング」を意識した言葉掛けについて考えてみます。

前章で、ウェルビーイングとは「元気?」と聞かれたときに「元気だよ!」と自然に笑顔で答えられる状態ではないか、と書きました。人に向けた言葉掛けや態度は、相手の認知ややる気に影響を与えます。たとえ表向きは相手の反応が薄くても、内面ではいろいろ感じているものです。

マネジャーのどのような態度が、今どきの部下に「元気だよ!」という自然な反応をもたらすのか考えてみましょう。

「ありがとう」を意識的に使う

前章でも触れたように、笑顔で挨拶を習慣化することや「元気?」と聞くことは出発点になるでしょう。
その次に使いたい言葉に「ありがとう」といった感謝の言葉があります。不思議なもので、どこの職場でも役職が上になるにしたがって、この言葉が小声になったり、数が少なくなったりする感触があります。

ゴディバ ジャパン株式会社の2019年の調査（ゴディバ ジャパン調べ。調査対象20～60代の男女各250名、計500名）に、その裏付けになるものがありました。

「『ありがとう』を伝えている頻度は一日平均14・1回、20代男性が最も多く29・4回、60代男性が最も少なくて3・5回。男女ともに年齢が上がるにつれて『ありがとう』を伝えなくなる傾向で、特に男性は50代以上になると大幅に回数が減少」とあります。

20代男性が一番多いというのは意外に思われるかもしれませんが、声に出して「ありがとう」と伝えている回数は、20代女性が最も多く一日16・8回ということです。

「ありがとう」で幸福度や元気度を測る

そういえば、私がかかわった職場で、この「ありがとう」を巧みに使う課長がいました。

周囲からは「仕事は今一つなんだけど」とささやかれていた課長でしたが、いつもニコニコしていて、「ありがとう」の言葉掛けがピカイチでした。ちょっと多すぎやしないかと思うくらいで、部下が何か報告するたびに「ありがとうございます」と言うのです。

「『ありがとう』と言えばこちらが何でもしてくれると思って」と陰口を叩く人もいましたが、それでも面と向かって「ありがとう」と言われると、誰しもまんざらでもない気持ちになります。

「あの課長だったらしょうがないなぁ」と、そのチームにはみんなが協力して頑張る雰囲気がありました。

ゴディバ ジャパンの調査結果では、次のような効果も公表されていました。

「一日に平均して4回以上『声』に出して『ありがとう』と伝える人とそうで

ない人とを10点満点の人生の幸福度で比較すると、4回未満の人の『幸福度』は6・0点、4回以上の人では7・1点」という主旨の結果になったそうです。

「ありがとう」の威力は絶大です。そして、言葉掛けはタダです。声に出したい言葉として意識しておきたいです。

ちなみに、この課長には後日談があります。

上司である部長が異動で替わってから、課長は不調を訴えるようになり、職場を休みがちになりました。着任した新部長が非常に几帳面で、ミスをたびたび指摘されたのが原因のようです。調子を崩した課長からは「ありがとう」の数がめっきり減ってしまったということです。

「ありがとう」という言葉が自然に出てくる職場になっているかどうか、チームの元気度を測るバロメーターとしても覚えておくとよいと思います。

部下への労いや、謝るということ

もう一つ、「ありがとう」に少し似た「ご苦労さま」といった労い、「ごめんなさい」といった謝りの言葉も同様に是非、意識して口にしてください。

ある職場で起こった、上司と部下の揉め事です。上司の不手際から部下の仕事を増やしてしまったときに、その上司が「ごめんなさい」と「ありがとう」を言い損ねてしまい、そして少し言葉をごまかしたがために、怒り心頭の部下が無言で書類を上司に投げつけました。怒った上司は「その態度はないだろう！」と声を荒らげてしまい小競り合いとなりました。

その後、メンバーの上司に向けられた表情は冷ややかなものに変わってしまいました。

上司の「ごめんなさい」が多すぎると、部下の不安は募りますが、逆に自分のミスを認めない上司に対しては、大きな不信感につながります。「自分は上司に軽んじられている」という不信感は表には見えにくく、部下に陰で語られる特徴があります。

意識してしっかり「聴く」

言葉掛けの次は、ふだんの部下との会話について考えてみます。

部下と会話をするときに、次の4点を覚えておくと、スムーズなコミュニケーションにつながります。基本は、部下の話をしっかり聴くということです。

①往々にして上司のほうが喋ってしまうものなので、できるだけ聴き役に徹する。上司が喋りすぎると部下は喋れなくなる

②「うなずき（はい、ええ、うん等）」「あいづち（そうなの、それはいいね、それは大変だ）」で、聴き上手になる

③上司の自己開示は小出しで、重くなく肯定的な内容のものを。特に部下が話したいときは、自分の話で盛り上がって横から話を奪わないように注意する

④話しながら、仕事に差しさわりのありそうな体調の変化はないか、部下の様子を確認する

デリケートな問題こそ、双方の認識を合わせておく

前章でご説明した「眠れない」「食べたくない」「だるい・疲れやすい」の「3つの『い』」や、仕事に関連した健康にかかわることは、積極的に質問して構いません。

むしろ、部下をよく見て、気になることがあったときには意識的に聞いてください。

とはいえ、ふだんあまり無駄話をしない職場環境で、「最近、眠れてる?」といった質問をすると、ずいぶん唐突感があって聞かれたほうは戸惑います。だからこそ、**ふだんから、私的なことでも自然に話せるくらいの雰囲気づくりがほしいものです。**

ある外国籍の社員が言っていましたが「自分たちは上司から声掛けされるのは嫌いじゃない。むしろ声掛けされると嬉しい。だけど、うまく日本語が喋れないので、伝えられなくてもどかしいときがある」。

そして、入社2年目の社歴が浅い社員も「声掛けされるのは嬉しい、でも、攻撃的な言葉を投げかけられるのが怖い。嫌味や皮肉は不快になる」と言っていました。

どちらの気持ちも、納得できます。

また、上司が部下とのかかわり方に気を配るのと同時に、部下のほうの認識も合わせておく必要があります。

「昨日、眠れた?」はプライバシーの侵害?

私が新卒や中途採用を対象にした新入社員研修で、「昨日、眠れた?」と聞かれるのはプライバシーに立ち入った言葉掛けだと思うか?」と問うと、実に半数近くの人が「私的なことに立ち入りすぎだと思う」と答えました。

そこで、次のような話をして理解してもらうようにしました。

「職場は仕事をするところだけど、仕事がうまくいかないときには、私的なことが関係する場合がある。その確認のために、上司は『夜は眠れているか?』『ごはんは食べられているか?』と、部下に質問することがある。それは、プライバシーの侵害にはならない。社会人として働くためには、ちゃんと寝て、ちゃんと食べることが大事」

職場でも研修会などを利用して、プライバシーやハラスメントの認識を合わせる工夫は必要でしょう。

04

マネジャー自身の「ウェルビーイング」を考える

――自分のためのセルフケア術

ここまで読んでいただいて、「マネジャーって本当に大変！」とつくづく感じられたことでしょう。そのとおりです。

でも、マネジャーあってのチームです。マネジャーが元気か、そうでないかは、ダイレクトに部下に影響します。

いい影響が出たら、間違いなくチームの力は上がります。マネジャーは扇のかなめのような存在なのです。

ところで、少し思い出してもらいたいことがあります。自分が部下だったとき、上司の顔色を見ながら仕事をしていなかったでしょうか？

上司が気分よく仕事をしているときは、部下だった自分も仕事がやりやすかったはずです。ここに、マネジャーの元気を守る重要性があります。

次からはどうやったら、マネジャーが元気でいられるのかを考えてみます。

自分の元気をつくる2つの視点

マネジャーがいつも元気でいられるのには、２つの視点があります。

１つ目は「自分に対して、基本的な生活習慣の『保守点検』をすること。

２つ目は「ストレスをうまく整理して自分の機嫌を取る」こと。


１つ目の「基本的な生活習慣の『保守点検』」とは、自身による健康の確保と、そのための日ごろの心配りです。これは言うは易し行うは難しですが、それでも、自分の心と身体への心配りはいつも意識してください。

人はよくできたもので、意識しなくてもある程度は身体と頭が動いてくれます。しかし、あるとき急に思い通りに動かなくなることがあるのです。


ストレス学説を提唱したハンス・セリエ博士のいった「汎適応症候群」があります。

ストレスの経過には、初めのころは、そのことに気づくのですが（**警告反応期**）、それに抗おうとする自然な働きが出てストレスに気づきにくくなり

図2-2

汎適応症候群

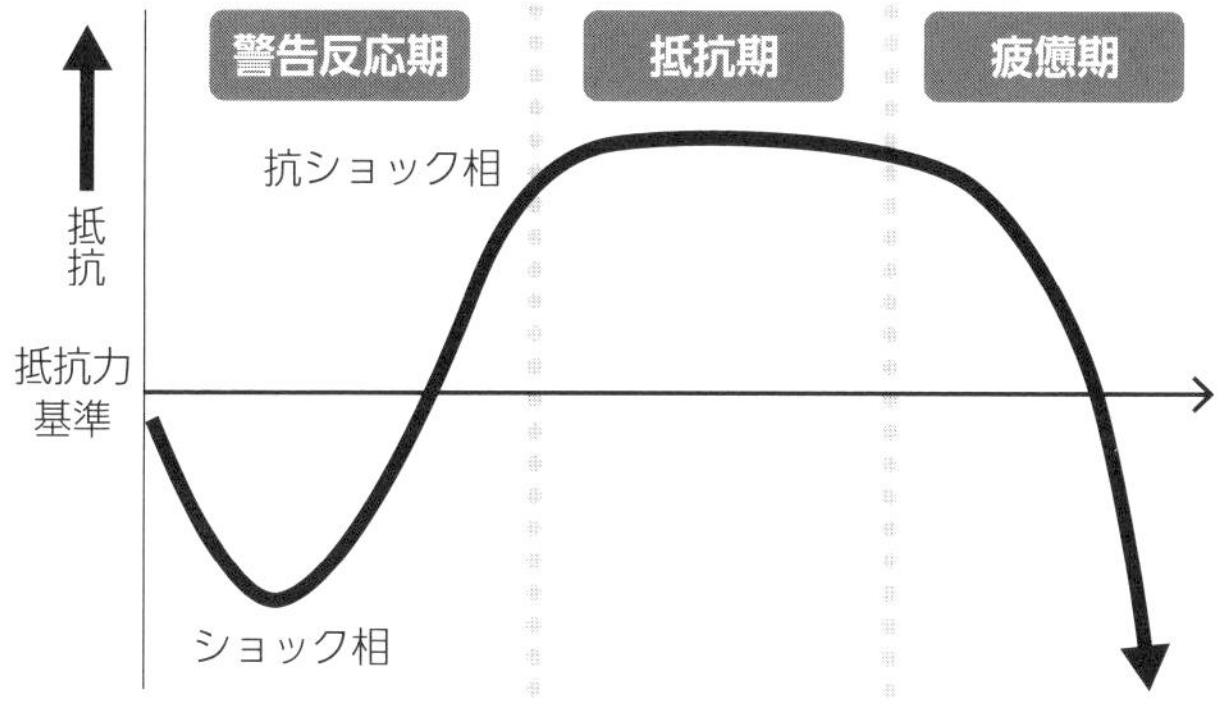

出所：『現代社会とストレス（115ページ）』
（ハンス・セリエ 著・杉靖三郎ほか訳、法政大学出版局刊）を基に著者作成

（抵抗期）、そして、あるときエネルギー切れのようになる（疲《ひ》憊《はい》期）というものです（図2－2参照）。

　このストレス経過をなぞるかのように具合が悪くなったマネジャーがいました。

　IT系ベンチャー企業に勤める40代後半男性の野口さんは、営業部の管理職で頑張っている人でした。

　学生時代は、野球部で鍛えられていて「どんな仕事の千本ノックだって受けますよ！」と熱く語るタイプでした。

ところが、40歳を過ぎたころから、子どもの不登校や遠方に住む親の看護、頻繁な出張などが重なり、睡眠は十分に取れず、夕食も一人で適当に取ることが続くようになりました。

「これまでどんなことだって乗り越えてきたのだから」と周囲に強がって言っていたものの、身体が鉛のように重く感じ起き上がることも厳しくなり、病院を受診するとうつ病と診断されました。

野口さんは、その後無事に仕事に復帰できましたが「マネジャーはどうしても無理をしてしまう」「自分は大丈夫だと思っていた」「過信していると、大丈夫じゃないことが本当に起きる」と、それまでの生活習慣を反省し、改めました。

基本的な生活習慣〜①睡眠

自分以上に自分の身体を守ってくれる人はいません。そのためには、何より「良い睡眠」を取ることです。

睡眠は疲労の回復、脳の休息とともに記憶の定着のためにも大事な日課です。寝ても疲れが取れないとか、昼間に眠気に襲われるのは黄色信号です。

環境が許せば、昼休みに30分程度の短時間、昼寝をするのがお勧めです。

夜ぐっすり眠るためには、小分けでもよいので、一日の中でトータル20分くらいは身体を動かすようにしてください。仕事の途中で席を立って、外の空気を思いきり吸ったりする程度でも違います。

さらに、1週間のうち4〜5日は軽く汗をかくぐらいに身体を動かすと、心肺機能や筋力が維持されるほかに、脳内分泌物質が抗うつ剤と同じくらいの働きをしてくれて、気分が安定します。

基本的な生活習慣〜②食事

睡眠に加えて、自分の口に入る食べ物と飲み物もしっかり意識してください。

食事について心配りのできる人は、少し踏み込んだ栄養学などの情報を参考にしていただくとして、忙しくて何もできないという人でも食事の基本は崩さないでください。

食事の基本とは、1日3回、ご飯などの炭水化物、肉・魚・卵などのタンパク質、野菜・果物などのビタミン類から構成された献立を取ることです。

小学校の給食室の前にいつも掲示されていた、3分類の円グラフです。
そしてできるだけ、食器を「きちんと」配膳して食事を取ってください。この「きちんと感」がどこかにあると、生活の中の「仕切り」ができます。また、味噌汁など「温かいもの」を一品入れるのもお勧めです。少しの手間ながら、「温かいもの」は人をホッとさせるので、間違いなくQOL（Quality of Life／クオリティ オブ ライフ）が上がります。

また、飲酒や喫煙は30代半ばを越えたら当たり前に口にするというより、遠ざけておきたいものと考えておくのが無難です。長期にわたって口にするほど、心肺への影響、発がん性などのリスクは高まっていきます。お酒もタバコも「特別なもの」ぐらいの心づもりがよいでしょう。

「ちゃんとメシ食って、風呂入って、寝てる人にはかなわない」。これは、『AERA 2016年11月21日号』の「糸井重里から働く人へ ちゃんとメシ食って、風呂入って、寝てる人にはかなわない」の記事タイトルです。基本的な生活習慣の大切さを、実にうまく言い当てていると思います。
入浴は、新陳代謝を活発にさせてリラックス効果をもたらし疲労を回復させるので、「風呂」も侮れません。

基本的な生活習慣の「保守点検」
～体重計と健康診断を利用する

健康のバロメーターとして客観的指標で使いやすいものに、毎日の体重測定と、健康診断があります。体重測定は手軽だけれど一喜一憂したくない気持ちが働くと心理的に遠ざけてしまいます。

毎年の健康診断（以下、健診）は、もう一つ使い勝手のよくないことが多いようですが、この2つをうまく使わないのはちょっともったいないです。

健診結果でわかる生活習慣病（高血圧、脂質代謝異常、糖尿病など）は、病気がかなり進行しないと自覚症状は出てきません。また、病態に個人差があるので、身近な人の意見は参考にならないことも多々あります。

そして、自覚症状が出てきたときにはすでに、心筋梗塞や脳梗塞（心臓や脳の血管を傷める病気）が進んだ状態になっている場合もあるので、注意が必要です。

対策として、健診で医師と話す際や、医療機関を受診するときには、日々の体重の記録や、気になったことを事前にメモして、臆せず尋ねるようにします。また、言われたことをその場でメモすると、相手の言葉に対する責任感もより強いものになります。

時間に追われる医療現場では、暗黙の了解で説明が端折られることがあります。とはいえ、自分の身体は、お金と同様に生きていく上での貴重な「資産」です。自分でうまくコントロールできるように、貴重な情報収集の機会を利用しない手はありません。

また、健診で高コレステロールなどが指摘されて医療機関を受診する場合は、事前に公的な信頼性のあるサイト（王道は厚生労働省、医師会、関連医学会などのサイト）に書かれてある内容と健診結果とを見比べて、理解を深めておきます。公的でないサイトほど、間違った内容が交じりやすいので情報の精査には気を付けてください。

基本的な生活習慣の「保守点検」～医療機関の選び方

受診する医療機関の選び方は、通院することになった場合に利便性のよい自宅や職場の近くなどで、専門医（たとえば脂質代謝異常に対応できる日本動脈硬化学会認定の専門医など）であることがお勧めです。

専門医は、各学会（たとえば日本動脈硬化学会など）のサイトで紹介されていることが多いです。

学会というと敷居が高いように感じますが、最近はどの学会も見やすいホームページにしているので、すぐに専門医が見つけられると思います。

基本的な生活習慣の「保守点検」～効果的な受診の仕方

いよいよ受診するときにも、「下から目線」は使えます。

「何かと不安があったので、メモを持参しました。また、お時間を少しいただいて細かなこともお尋ねしてもよろしいですか?」と、あらかじめ言っておけば、多くの医療職は好意的に受け入れてくれるはずです。

さらに、持参したメモを渡せたなら、要領よく話を進めてくれるでしょう。

【受診時に尋ねたいこと】

- 基準値をどのように考えればいいのか?
- どの程度だと服薬治療が必要なのか?
- 服薬治療のメリット、デメリットは?
- 高値が続いたら、どのくらいでどんなことが起きるのか?
- 食事の傾向、睡眠時間、身体活動・運動の傾向、ストレスの状況から、自分が取り組んでいる生活上の工夫は適切か?

会社が契約している産業医や保健師、健康保険組合や行政が行っているサービスまで含めると、あなたが自分の健康状態をしっかり把握して管理するための情報は必ずどこかにあります。費用負担のほとんどない健診を年に一度の保守点検としてうまく使わない手はありません。

ストレスをうまく整理して自分の機嫌を取る

マネジャーのあなたがいつも元気でいられる2つ目の視点は、「ストレスをうまく整理して自分の機嫌を取る」ことです。

誰しもストレスはありますが、ストレスがあることが決して悪いわけではなく、抱えきれないストレスから、心身が疲弊してしまって仕事や生活に差しさわりが出てくることが問題なのです。

ちょっと厳しいくらいのストレスを乗り越えることは、人としての成長につながります。ストレスを小分けにしたり、何らかのサポートをうまく利用したりすることを「ストレスの整理」と表現しました。

もう少し具体的に考えるのに、次ページの図2-3「職業性ストレスモデル」が参考になります。これを基にストレス対策を考えてみましょう。

誰しもストレスの引き金となる「仕事上のストレッサー（①）」と「仕事外のストレッサー（②）」があります。

そこに、悲観的であるとか神経質であるといったものや、考え方のクセな

図2-3

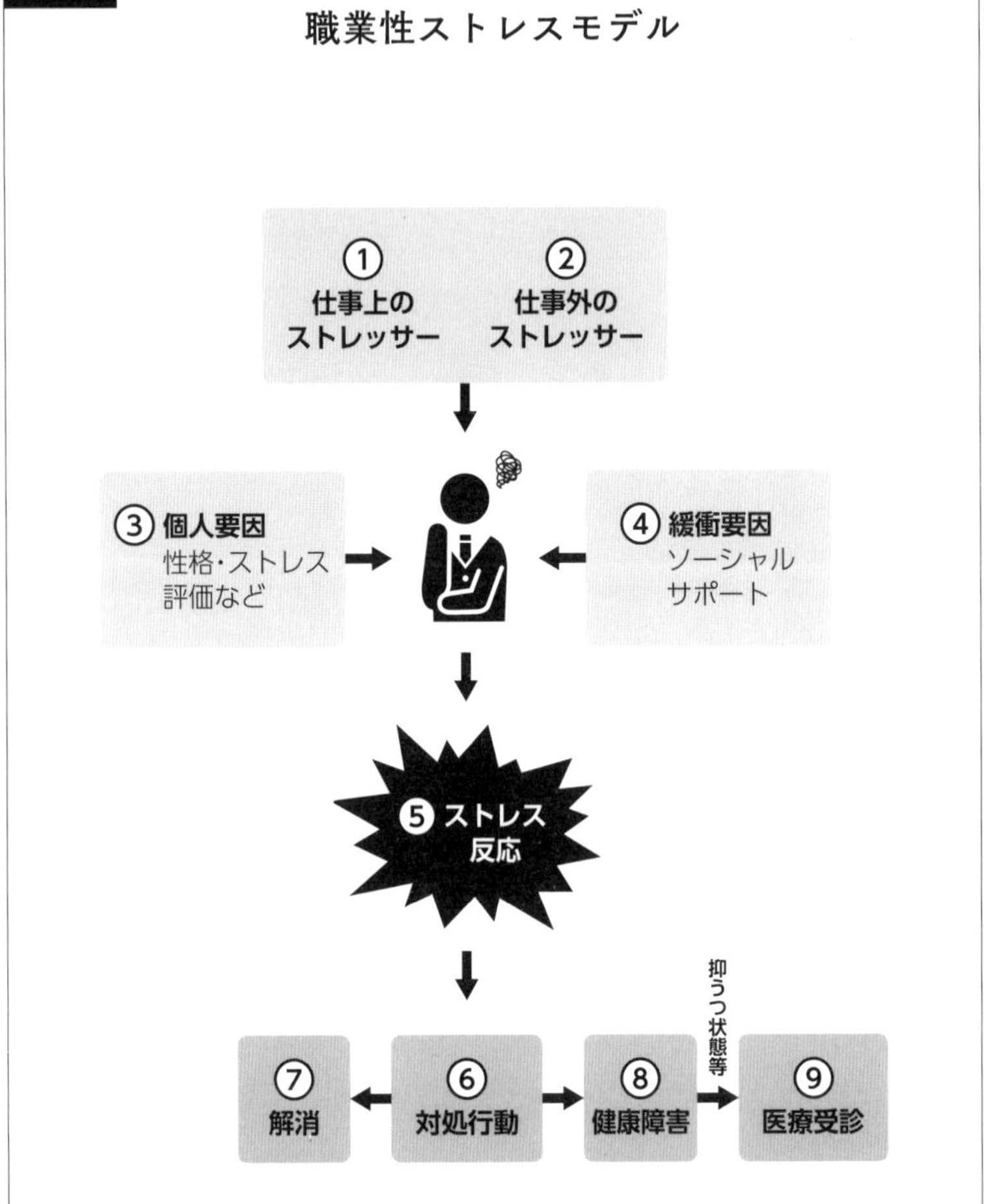

出所：National Institute for Occupational Safety and Health（米国立労働安全衛生研究所）
資料「職業性ストレスモデル」を基に筆者作成

どの「個人要因の性格・ストレス評価（③）」を介して、「ストレス反応（⑤）」が変わってきます。

また、「緩衝要因のソーシャルサポート（④）」が加わることで、「ストレス反応（⑤）」を小さくできます。ストレス反応とは、イライラするとか、集中力が欠けるとか、怒りっぽくなるとかといったものです。

自分の状態をこの図に当てはめるだけで、ストレス構造を整理できる人もいるでしょうが、先述の「汎適応症候群」の野口さんの事例のように、ストレッサーの大きさが変わらないままに頑張りすぎてしまって、ストレス反応に気づきにくくなってしまう人もいます。そういう傾向がありそうな人こそ、使ってほしいのがストレスチェックです。

ストレスをうまく整理
～ストレスチェックの効果的な使い方

現在50人以上の職場で義務化されているストレスチェックは、アンケート形式の質問に回答することで、「職業性ストレスモデル」の「仕事上のストレッサー（①）」「緩衝要因のソーシャルサポート（④）」「ストレス反応（⑤）」

が判定されます。

毎年ストレスチェックを受けている方は、このモデルに当てはめて、毎年自分のストレス状況を理解すると、ストレスをコントロールしやすくなります。

減らせるストレッサーは減らし、サポートがあることでうまくコントロールできそうならストレスサポートを得ることです。ストレスサポートには物理的・手段的なサポートもあれば、情緒的なサポートもあります。

一例として、先述のマネジャーの野口さんの事例を職業性ストレスモデルに書き込んだものが、次ページにある図２－４です。


ストレスチェックを個人的にやってみたい場合は、厚生労働省のサイト「こころの耳」のコンテンツ「５分でできる職場のストレスセルフチェック」（２０２３年10月10日アクセス https://kokoro.mhlw.go.jp/check/）から簡単にできます。結果は本人しか見ることができない仕様になっていますので、気兼ねなくお試しください。

なお、このストレスチェックでは、「職業性ストレスモデル」の「個人要因の性格・ストレス評価（③）」については判断できませんが、次のように考え

図2-4

職業性ストレスモデルで解釈する「野口さん」の状況

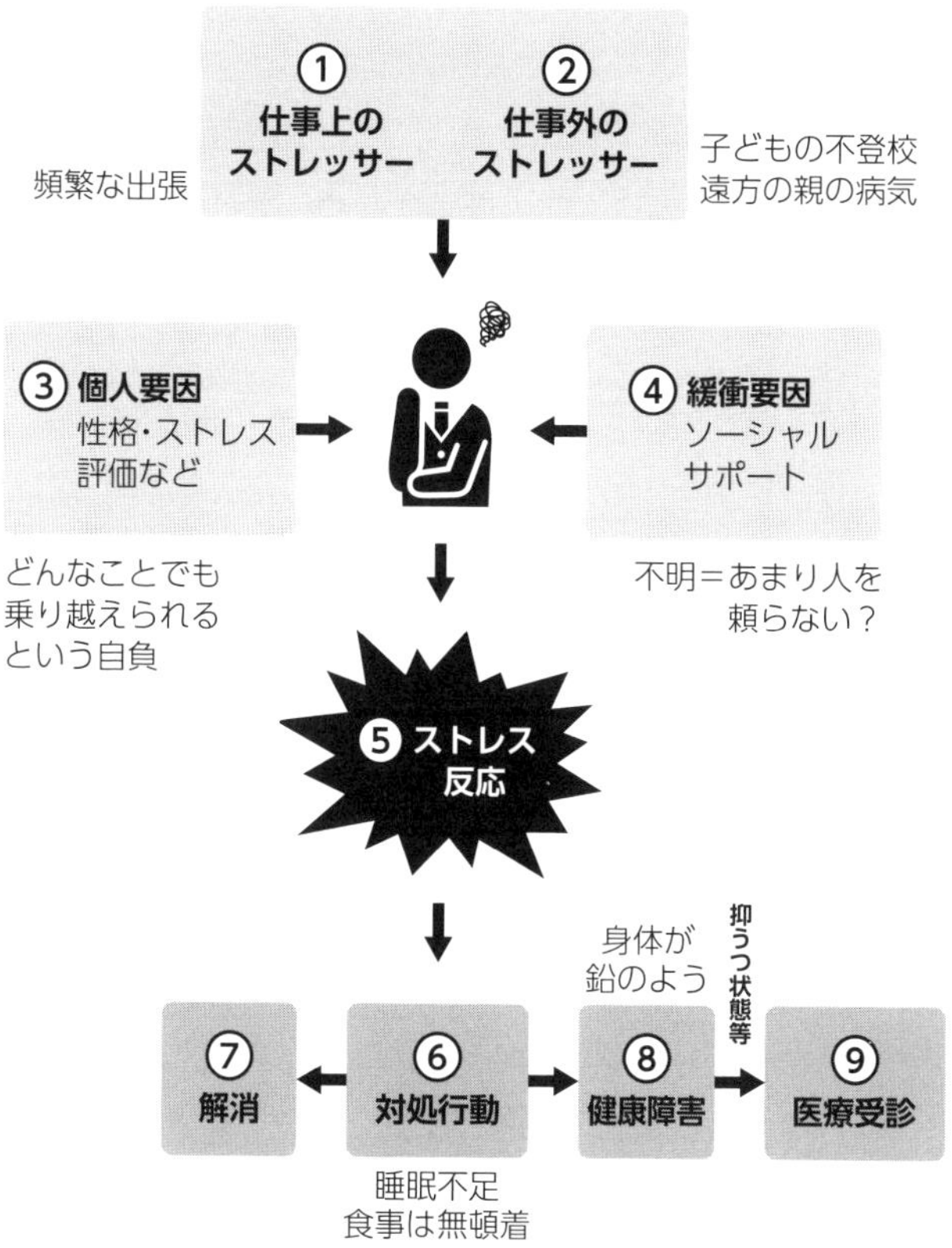

出所：National Institute for Occupational Safety and Health（米国立労働安全衛生研究所）資料「職業性ストレスモデル」を基に筆者作成

るといいでしょう。

たとえば悲観的になりやすい人の場合は、無意識に考え方のクセが働いている可能性があるので、悲観的な気持ちになったときは、「本当にどうしようもないことかな?」「何か方法はないかな?」という自問するクセをつけると、突破口が見えてくると思います。

ストレスをうまく整理
～「アンガーマネジメント」「アサーション」

つい、感情のままに怒りを表に出してしまう傾向がある人には「アンガーマネジメント」が有効でしょう。アンガーマネジメントとは、怒りの感情を客観的に理解し、自己コントロールするためのスキルです。怒りの感情を自分で認めたら「6秒待つ」「深呼吸をする」「怒りの原因となるものから離れる」といった方法が提唱されています。

コミュニケーションでフラストレーションを感じやすい人は、積極的な自己表現ともいわれる「アサーション」の対応を覚えるとよいと思います。アサーションとは、相手の気持ちを大事にしながら、自分の気持ちをきちんと伝えるコミュニケーション技法です。相手をコントロールするのではなく、自分の考えを我慢するのでもないことから、スムーズなコミュニケーションが成り立つといわれています。自分のふだんのコミュニケーションパターン（受身型、攻撃型、自他尊重型）に気づき、アサーティブ（自他尊重）な伝え方を実践します。

これらの方法についてより詳しく知りたい方は、書籍や講座などを参考にしてください。

今どきのマネジャーは本当に大変です。でもこの大変な経験は決して無駄ではありません。あなたがこれから生きていく上での貴重なライフスキルになるはずです。

これから生きていく場所は職場だけとは限りません。この先、もっと多様な人達と一緒に物事を進めていく可能性もあります。今の仕事の経験は、必ず役に立つはずです。

私がマネジャーに時々お伝えしている言葉をご紹介します。「気弱になったときに、心の支えになっていますよ」と言ってくれた方がいました。

「マネジャーはしょせん役割です。役割としてやった行動の一部が否定されても、役割はあなたのすべてでもなければ、あなたが否定されたわけでもありません。組織に合わなかったのなら行動を変えればいいだけです。人は失敗する動物で、失敗する権利もあります。役割という上着の選び方が、どこか適切でなかっただけのことです」

事例クイズ

持続可能なチーム力を鍛える！

問題1

40歳男性Aさんは、従業員約100名の食品会社に勤めています。半年前に営業部から管理部に異動するタイミングで課長に昇進しました。

部下は5人で、定年後に再雇用された男性が1人、独身男性が1人、女性が3人という構成で、みなさん比較的口数が少ない人たちです。

Aさんが異動したタイミングで、昼食の歓迎会を女性3人が企画してくれました。

前任の課長からは異動直前に1日引き継ぎの機会をもらったものの、その課長はすでに退職していて連絡が取れません。また、同じ会社とはいえAさんが異動した管理部は、前の営業部に比べてとても静かな部署で、仕事の全容がなかなかつかめません。

ちょっとした質問を部下にしようとすると、Aさんの元来の大きな声は隣の部署まで響いてしまい、背中越しに冷たい視線を感じてしまいます。

Aさんは、このあとどんな行動を取れば、仕事をうまく回していけるでしょうか？　正しいと思うすべての項目を選択してください。

①会社の経費で飲み会を企画する。その案内文に「無理強いはしませんが、極力参加をしてください」と書き添える

②少人数の打ち合わせを提案し、定期的に、部下と仕事の内容について話し合う機会を設ける

③前の部署の様子を冗談めかして話し、コミュニケーションを試みる

解説

①の「無理強いはしない」という発想はよかったのですが、「極力」となると強制的な印象をもたれてしまいます。異動になったばかりで部下たちの生活状況がわからないことを思うと、飲み会以外のコミュニケーションを検討したほうが妥当です。

②の「少人数の打ち合わせ」は、気さくな情報交換の場ともなってよいでしょう。メンバーには「仕事のことはわかっていないことが多いので、何度も聞くかもしれないけれど」と前置きし、「下から目線」で教えてもらうのがコツです。声のボリュームさえ配慮すれば、チームのコミュニケーションが高まるはずです。

③の「前の部署の様子を冗談めかして」というのは、部下が聞きたくない話題の場合があるので微妙です。こういった内容は、別な場所では自分もそのターゲットにされるのではないかと考える人もいます。「笑い」は他愛ないクスッと笑える内容や、自分自身に関するものが無難と心得ましょう。

解答

②

問題2

42歳男性のBさんは、従業員約130名の精密部品メーカーの主任です。ちょうど3か月前から新規のプロジェクトの責任者になりました。

この3か月間の月の残業時間は70時間を少し上回るくらいでしたが、仕事は面白く後輩の面倒もみながら意欲的に仕事をしていました。

人事・総務の担当者から、長時間労働者対象の産業医の面接指導を受けてはどうかと勧められていましたが、「特に体調は悪くないし、仕事に時間的な制限を掛けられたならたまったものではない」と断っていました。

食事の時間も惜しく、朝食は食べず、昼食はコンビニの菓子パンと缶コーヒーを選びがちでした。

帰宅後も仕事のことをつい考えてしまい目が冴《さ》えて寝付けないため、いつの間にか寝酒が習慣化し、気づくとズボンがきつくなっていました。

ある日の午後、会議中に胸やけのような胸の違和感を感じて、救急車で病院に搬送されました。病名は「心筋梗塞」で、一命をとりとめたものの2週間の入院が必要となりました。

Bさんが心筋梗塞にならないようにするために、自分でできた工夫は何でしょうか？　正しいと思うすべての項目を選択してください。

①産業医の面接指導を受けること
②体重の増加に早めに気づいて、食事内容を含む生活全般の見直しを行うこと
③寝酒をやめること

解説

①の「産業医の面接指導」は、自分の健康状態を客観的・医学的に知るよい機会になります。産業医からは、仕事内容と健康状態の両面から助言がもらえるはずです。Bさんが心配していた、いきなり仕事に制限を掛けられることは、ほとんどありません。最初は心筋梗塞のリスクを小さくするために、

自分でできる工夫を提案してもらえるはずです。医療機関の受診を勧められたときには、自分が納得するまで説明をしてもらい医師の指示に従いましょう。当然ですが、医師の助言に添った行動を取らないと、仕事が制限されることはあり得ます。

②の「体重の増加」は、おそらく内臓脂肪の増加が考えられます。内臓脂肪型肥満は動脈硬化を発症させ、心筋梗塞の要因になります。体重を時々測っていれば、内臓脂肪の増加を抑制できたかもしれません。また、昼食に菓子パンと缶コーヒーを選びがちだったので、栄養バランスが偏っていたのではないでしょうか。食事全般のバランスに気を付けていたなら、心筋梗塞は防げていた可能性があります。

③の「寝酒」は、一日の疲れを解放するものにはなっていたでしょうが、いつの間にか飲む量が増えていってしまうアルコールの「耐性」をつくる危険性があります。飲酒量の増加も心筋梗塞のリスクになる上、寝酒は睡眠の質を悪くするため熟睡ができず、翌朝疲労感が残ります。何となく当たり前に晩酌をするのはやめるのが賢明です。

解答

①
②
③

第2章／まとめ

- 多様性に対応するための手始めに、自分がとらわれている潜在的な価値観（昭和型マネジメント、平成型マネジメント）に気づく
- 下から目線の「うきわ」のルールで、部下とはお互いわかり合えていないことを前提に話を聴く
- マネジャー自身のストレス対策と前向きで肯定的な声掛けから、「ウェルビーイング」を意識したコミュニケーションを心掛ける
- 「ありがとう」「ご苦労さま」「ごめんなさい」といった、感謝・労い・謝りの言葉を惜しまないようにする
- ちゃんと食べ、ちゃんと寝て、自分の機嫌を取り、気持ちに余裕をつくる
- ストレスチェックや健診を自分の体調管理にうまく活かし、医療機関のかかり方も工夫する。

第3章

部下の心身の変化に応じた対応

実践編

メンバーの有事

01

体調不良を伝えられたときの対応

――突然「今日、休みます」とメールが届いたらどうするか？

私に依頼される仕事でもっとも多いのが、管理職・マネジャー職向けの職場のメンタルヘルス研修です。たいていの場合、人事・総務の担当者から、各職場の困りごとの相談と併せて依頼されることが多く、研修と相談のセットでお引き受けします。

そこで本章では、実際の現場でニーズが高い部下のメンタルヘルスへの対応を中心に、具体例を交えてご説明します。

人事・総務部署からの依頼で職場に出向いてみれば、集まった3割くらいのマネジャーは「なんで、こんな研修に召集されないといけないのか?」とたいてい不満の表情を浮かべています。

無理もありません。部下のメンタルヘルス対策に困ることなく、仕事をやってきた人たちもたくさんいるのです。そのようなマネジャーにとっては、このような研修は、余計なことに思えてしまって当然です。

「起きていないことは、わからない」

私の仕事の大きな目的の一つに、「防げる病気を防ぐ」ということがありますが、起きていないことへの対応ほど難しいことはありません。

自然災害を経験していない地域に災害防止の話をする難しさに似ているかもしれません。そして、起きてしまったら取り返しのつかない場合もあるのが健康なのです。

同じ医療職でも病院などの医療機関だと、「痛みや辛さに対応してくれる」ので、ありがたみがあります。痛くもかゆくもなく実感が伴わない先々の健康への対応については「大きなお世話」以外の何ものでもない、そんな感覚をもたれやすいものです。

このメンタルヘルス研修を行ってきたなかで、見えてきた別の課題もあります。

それは、**困っているのはメンタルヘルスだけの問題ではなく、ほかの病気に関連していたり、勤怠の問題に絡んでいたりすることが多々あるというこ**

とです。

そこで研修では、明日起きるかもしれない問題をイメージして考えていただいています。たとえば、次のような問題です。

あなたが朝8時50分に出社してパソコンを立ち上げました。メールを開くと、ある部下から「今日休みます」としか書かれていないメールが届いています。送信された時間は今日の7時15分。さて、どのように対応したらよいでしょうか?

選択肢① すかさず「ポカ休はダメだろう」と、電話する
選択肢② 「了解」とだけメールする
選択肢③ 「様子を聞きたいので今日の何時なら電話で話ができるか、必ず返信して」とメールする

実は、これら3つのどれもが理にかなった選択肢です。それぞれの対応を取ったあとにどんなことが起きたのか、事例を確認しながらその対応が適当かを考えてみましょう。

【選択肢①　すかさず「ポカ休はダメだろう」と、電話する】

解説　急に突然休む「ポカ休」を原則的に認めない、といった組織を回す上での基本ルールに基づいた対応です。ただし、基本ルールは、生活や健康状態にあまり変化がなく、常に一定の働きができることを前提にしてつくられた決まりにしかすぎません。

昭和の時代の対応であれば、選択肢①はベストかもしれません。

しかし令和時代の部下は、熱を38度以上も出して布団の中で寝ているのかもしれないときに、このような電話に応じても「ギョッとする対応をされて不快だった」という感情しか残らないでしょう。

【選択肢②　「了解」とだけメールする】

解説　「了解」という手短なメール返信は、具合が悪くて寝込んでいる部下がスマホなどで目にした内容としては、読みやすくてホッとするものかもしれません。

一方で、儀礼的で合理的です。「こんなに軽く扱われるのか」という印象を与えることもあります。

心身の負担が大きくて「もう職場には行けない」というやっとの思いから

送った手短なメールが「今日休みます」だった場合は、「了解」の2文字の返信に職場から見限られた気分になることもあるのではないでしょうか。

あるいは、何となく「仕事に行きたくない」と思っていた部下であれば、「なんだ、こんなに簡単に休めるのか！」という、よくない前例をつくってしまうことになりかねません。

メールというのが曲者です。チャットであれば比較的時間をおかずにやりとりができるので、即時のフォローがいくらかできます。しかし、メールは、理解の食い違いや気持ちのズレが起きやすいので、注意が必要です。

【選択肢③「様子を聞きたいので今日の何時なら電話で話ができるか、必ず返信して」とメールする】

解説 ここまで読むと、今どきの対応としては、この選択肢③がベストであることに気づかれたでしょう。

この選択肢の利点は、次の5点になります。

1．本人が対応可能という時間に電話することで、病院を受診している時間や具合が悪くて身体を休ませている時間を避け、部下の体調と都合に

合った適切なタイミングで情報が得られる
2. マネジャー自身も何を話せばいいか準備ができる
3. 当日フォローすべき部下の仕事の情報が具体的に得られる
4. 休む必要のある期間の目途（1日だけなのか・数日かかりそうか・もっと長期になりそうか）がわかり、チームに仕事をどのように配分するかの予定も立つ
5. 休んだ部下が職場に出てきやすくなるメッセージを直接伝えられる。また、その反応も確認できる

体調をよくするのも仕事のうちで、よくなったら仕事に行こう、という前向きな気持ちが引き出せると、チーム運営としては最小限の損失ですみます。加えて、前向きな気持ちで復帰してもらえたときには、休んだ経験を強みに活かしてくれることだってあります。たとえば、ほかの同僚が同じように休んだときに、率先してそのフォローをしてくれたり、休み方の適切な助言をしてくれたりと、マネジャーのサポートをしてくれることがあるのです。

次に、もう少し詳しい対応の流れをご紹介します。

部下に電話をするときの7つのポイント

朝出社して「今日休みます」としか書かれていないメールを読んだマネジャーは、一呼吸おいて、次のようなメールを書きました。

> おはようございます。メールを読みました。突然の休みの申請に、事故なのか、急に具合が悪くなったのか心配しています〔心配しているというメッセージを伝える〕。
>
> 今日の〇〇さんの仕事をどうするかも含めて、様子を聞きたいです〔単なる心配でなく仕事の一環であることを理解してもらう〕。
>
> 何時なら電話で話ができるか、必ず返信いただけますか。本日中で早めの時間を教えてもらえると助かります。返信をお待ちしています〔当日のうちに連絡が取れるように念押しする〕。

メールの言葉は、対話の言葉よりも冷たく響きやすいので、「下から目線」でやさしい言葉になるように意識します。

1時間後に部下からのメールを受信しました。「今まで調子が悪くて寝ていました。11時にはお電話できます」という内容です。

マネジャーは一呼吸おいて、チームの緊急連絡網から部下の携帯電話の番号を確認し、次のようなメールを書きました。

> 調子が悪くて寝ていたところ、申し訳なかったです。今日の11時に私の社内携帯電話から、○○さんの携帯電話に電話するので、様子を聞かせてください。

マネジャーは、電話をする前に次の7つのポイントを確認しておきました。

ポイント① 大まかな体調不良の様子
ポイント② 病院への受診の有無や予定
ポイント③ 仕事でフォローしておくタスクとその緊急度合い
ポイント④ 大まかな休業の目途
ポイント⑤ 今後希望する連絡方法と、本人に連絡がつかない場合の連絡先

ポイント⑥　療養と労わりの言葉
ポイント⑦　職場に出てくるのを待っている、というメッセージ

そして約束の11時に電話を掛けました。部下は3～4回のコールで応じたものの、気まずそうな声色でした。

マネジャー（以下「マ」） 今日突然休んだのは、調子が悪かったんだね。もう少し、様子を聞かせてもらえる？　急に熱が出たとか？〔やわらかい声になるよう意識する。詰問調にならないように注意〕（ポイント①）

部下（以下「部」） 熱はないけど、朝から身体が鉛のように重くて……。しんどいんです。

マ　それはきつかったね（ポイント⑥）。病院には、もう行ってきたの？（ポイント②）

部　……行っていません。

マ　どこか、かかろうと思っている病院はある？

部　ちょっと心当たりはあるので、探して行ってみます。

マ　じゃ、ちゃんと診てもらって具合をよくしてね（ポイント⑥）。こちらで

フォローしておくけど、急ぎの仕事はない？（ポイント③）

部　昨日の日報に書いた、△△会社の××さんに連絡するのを、どなたかにお願いしてもらえませんか？

マ　わかった。それは、こちらで対応しておくね。今日は病院に行って、しっかり身体を休ませて（ポイント⑥）。明日よくなったら出社してきてね、待っているから（ポイント⑦）。

もし、出社できるまでにまだ数日かかりそうなら教えてね（ポイント④）。明日も休んだほうがいいようだったら、今日のようにメールで出社時間までに連絡をくれるかな？　都合のよい時間を教えてもらえたら、こちらから電話するから（ポイント⑤）。

それと、万一連絡が取れない場合の緊急連絡先だけど、以前提出してもらったお母さんの連絡先でいいかな？　あくまでも連絡が取れない場合にしかお母さんには連絡しないので、安心して（ポイント⑤）。具合の悪いときにいろいろ話してしまってごめんね（ポイント⑥）。ここまでで何か気になったことはある？

部　うーん。病院は絶対に行かなきゃダメですか？

マ　病院に行かなくても自宅療養でよくなる目途があるなら、病院に行くのが絶対ではないけどね。仕事を休んで療養に専念するわけだから、よくなる目途がわからないなら、受診をお勧めするよ。身体を休ませることでよくなりそうな感じ？（ポイント④）

部　わかりました。病院に行ってきます。

マ　じゃ、くれぐれもお大事にね。よくなって出社するのを待っているから。気になることがあったらまた連絡してね（ポイント⑥⑦）。

いかがでしょうか。ざっと5分くらいで7つのポイントを押さえたやりとりができました。

自分が部下で、この対応をされたら、どんな感情が出てくるのかも、是非想像してみてください。

「面倒くさいなぁ」「部下にしつこいと思われないかな？」といった気持ちが湧き上がってくるかもしれません。しかし、療養と労りの言葉（ポイント⑥）が随所に入れれば、部下は決して嫌な気持ちにはならないはずです。

一方で、上司としては、ズル休みの可能性を考慮した対応が必要だと考えた人がいるかもしれませんが、まずは部下の言い分を受け入れて、体調を整える必要性を伝えるようにしてください。

今までの経験を鵜呑みにしない

実際にこのような具合が悪いときの連絡場面では、双方が話を手短にすませたい気持ちが先行して、言葉が足りないことが多々あります。具合が悪いときに、理路整然と過不足なく話をすることは難しいものです。だからこそ、マネジャーがポイントを押さえて主導して対応することがカギになります。

研修でここまで話をしたところ「うちの職場では急な体調不良で休むといっても、せいぜい1日で出てくる人がほとんどだから、そこまでする必要はないと思いますよ」と言った人事担当の人がいました。

繰り返しますが、**「これまで大丈夫だったから、これからも大丈夫」は決して通用しません。**

次にご紹介する事例は、それまでの経験や目先のことにとらわれて、危うく大変なことになりかけたケースです。

20代後半男性の上田さんは、ＩＴ系企業の経理部で働いています。

ある日、上田さんのマネジャーは「今日休みます」とだけ書かれた、上田さんからのメールを受け取りました。

いつも元気で明るいイメージの上田さんは、前日にも変わらず仕事をこなしていたように見えたので、マネジャーは、「軽い風邪でも引いたのかな。そんな日もあるだろうから、口うるさいことを言うのはやめておこう」と思って「了解」とだけ送信しました。

翌日の昼になっても、上田さんからは何も連絡がありません。

さすがに心配になったマネジャーは、チームメンバーに、上田さんについて心当たりがないか尋ねたところ、前日ひきつるような顔をして、「（彼女に）振られたんだ」と、ぼそっと言っていたという情報を得ました。

しかし、上田さんに何度も電話をしてみるものの、呼び出し音がずっと続くばかりです。

マネジャーは、遠方に住む実家のお父さんに連絡をして、一人暮らしの上田さんの部屋に一緒に出向くことにしました。

夕方到着したその部屋に、上田さんの姿はありませんでした。

ゴミ箱の中にあった走り書きのメモを手掛かりに行方を捜した結果、箱根のホテルにいた上田さんに会うことができました。

当初、きまりが悪そうにしていた上田さんでしたが、上司と父親の安堵した表情を見て、自殺を考えていたことをポツリと語ってくれました。


まずは、危機一髪で大事にいたらなかったのは何よりでした。

一方、当日の休みの確認を端折ったがために、そのあとの対応にかかった手間や時間は、何十倍にもなったと思われます。


この話には後日談があります。

マネジャーは、上田さんを見つけた安堵感から、上田さんと自分が不在だった期間に二人の仕事をカバーしてくれていたメンバーへのフォローが抜けてしまい、チーム内にギクシャクした気まずい雰囲気が流れてしまいました。

しかし、部下の一人が言うには、「上田さんの件から、マネジャーが一人ひとりに目配りしている感じが増えて、仕事がしやすくなりました」とのことでした。

ピンチをチーム結束のチャンスにする

仕事を突然休むメンバーが出ると、当然ほかのメンバーに負担がかかります。そこで、休んだ穴を埋めてくれるメンバーへの声掛けも重要になります。**健康情報はプライベートな内容ですが、体調が悪くて休むことや、どのくらいの期間休むことになりそうかなどを伝えるか否かで、仕事を代わる部下の納得感は大きく変わります。**

まったく理由を知らされずに仕事を振られるのは、どんな人でも受け入れにくいものです。

多くの部下は、上司の部下に対する「公平感」をよく見ています。自分だけ仕事が増えるのは、口や顔に出さなくても腹の底に不満が澱のように溜まっていきます。それは、いつか爆発するか、静かな退職につながることにもなるのです。

仕事を均等に分けることはなかなか難しいものですが、部下が納得できる仕事の振り方や、「悪いね」「ありがとう」といった労いや感謝の言葉があれば、気分よく仕事ができるものです。

そういったチームが一丸となって困難な状況を乗り越えたという経験は、チームへの愛着感を高めて、持続可能なチームづくりにつながっていきます。

02

適切で効果的な休業時の対応

――休業する場合の声掛けや接し方のポイント

「従業員が病気で休んだあとに復帰しても再び休業してしまう。あるいは、辞めてしまいます。どうすればよいでしょう？」

会社の人事・総務担当の人から、困りごととしてよく尋ねられる質問です。この困りごとを耳にするようになって、かれこれ20年以上も経つでしょうか。国も働く人のメンタルヘルス対策の法令を整備して、実に多くの情報発信をしています。さらに、この10年はメンタルヘルスだけでなく、ほかの疾患も含めて、治療と仕事の両立支援策を拡充してきました。

それにもかかわらず、依然として、従業員の病気休業や離職に関する相談はなくなりません。むしろ増えている感触さえあります。もしかすると、病気休業が取りやすくなったことに端を発する問題なのでは、とも思えてしまいます。

余談になりますが「休職」「休業」の違いをご存じでしょうか？　言葉こそ似ていますが休む理由において意味が異なります。

簡単にいうと「休職」は従業員の自己都合により長期間職場を休むことです。もう一方の「休業」はというと、会社都合や制度による休みのことで、「育児休業」など法律に基づいて取得できる休みも「休業」となります。本書の中では、使い分けると混乱してしまうので、特別な理由がない限りは「休業」と表記しています。

どの職場でも、1週間以上休むような休業については、就業規則などのルールが定められているはずです。しかし、実態に即していなかったり、うまく運用できていなかったりして、ルールそのものが現場の困りごとになっている職場もあるようです。

休業に入るときのマネジャーのかかわり方次第で、再休業や、休業中もしくは休業直後の退職を防ぎ、復帰後の仕事にまでよい影響がもたらされます。

次からは、部下が1週間以上休むことになった場合のマネジャーの対応を「適切な声掛け」「不適切な声掛け」に分けてご紹介します。

病気がメンタルか、フィジカルかで対応を変えるべき？

具体的な対応についてお伝えする前に、部下の病気がメンタルとフィジカル（身体）では、対応に区別をつけたほうがよいのか？　という疑問についてお話しします。

一般的には、メンタルの病気とフィジカルの病気では、言葉掛けや接し方を変えたほうがよいと思っている方がほとんどではないでしょうか。たとえば、うつ病の人に「頑張って」「早くよくなって」を言ってはいけないなどは、今では周知の事実となっています。

しかし、私は基本的には区別はつけなくてよいと考えます。仕事を1週間以上休む必要のある病気だと、どんな病気であっても、回復から復帰には心理的なハードルがあります。

意外に思われるかもしれませんが、フィジカルの病気がメンタルヘルスに影響する場合も珍しいことではありません。たとえば、がんの診断を受けたあとは、気持ちの落ち込みがひどくなったなど、メンタルヘルスへの影響が少なからず出ることがあります。

また、会社に提出される診断名が絶対的なものでない場合もあります。最初は「うつ病」と診断されても、そののちに実は感染性のフィジカルの病気だったという具合に、別の病気が判明することもあります。

休業に入るときの電話対応のポイント

ここからは、先ほどのマネジャーと部下の会話の続きを見ていきます。前節では「今日休みます」というメールを受け取ったマネジャーが部下に電話をして、部下が病院に行くと約束したところで会話は終わりました。

その後、部下から電話で、今後の休みのことについて話をしたいとマネジャーに連絡がありました。

まず、突然かかってきた電話の場合には注意点があります。周囲の人を気にせず、**余裕をもって話せる状況であれば、そのまま話して構いませんが、そうでない場合は「大事な話だからかけ直させてほしい」と伝えて、電話を**

かけ直してください。

電話での会話のポイントは次のとおりです。細かいと思われるかもしれませんが、このときの対応がその後の部下との関係に影響することもあるので、いずれも大事な内容です。くれぐれも詰問調にならず、やわらかい声で話すよう意識してください。

ポイント①　その後の体調不良の様子（ざっくりでよい）
ポイント②　病院等受診の有無と、主治医から言われた内容
ポイント③　フォローしておく仕事や、気になっていることはないか
ポイント④　休業の目途（ざっくりでよい）
ポイント⑤　今後の連絡方法、本人に連絡がつかない場合の連絡方法
ポイント⑥　療養と労りの言葉
ポイント⑦　職場に出てくるのを待っているというメッセージ
ポイント⑧　引き継ぎは不要。これからは「療養に専念するのが仕事」
ポイント⑨　療養に専念できる生活環境か？　状況によって家族の支援を勧める

ポイント⑩　職場からはよほどのことがない限りは連絡しない
ポイント⑪　気になることがあったら、いつでも連絡してほしい
※⑧～⑪は、休業が長引く場合に追加する事項です。

休業に入るときの「適切な声掛け」

部下は、休みを取った翌日に病院に行ってきました。その報告から始まります。

マネジャー（以下「マ」）　その後の調子はどう？　病院に行ってお医者さんに言われたことなどを簡単に教えてもらえるかな（ポイント①②④）。

部下（以下「部」）　うつ状態って言われました。とりあえず3週間は仕事を休むようにとのことです。

マ　そう。それはしんどい状態だね（ポイント⑥）。診断書は書いてもらった？（ポイント②）

部　はい。仕事を休むなら必要だろうからと、お医者さんが書いてくれまし

た。

マ　じゃあ、診断書は私宛てに送ってね。人事には回しておくから。しばらく仕事を離れることになるけれど、こちらでフォローしておくことはないかな？　仕事で気になっていることはない？（ポイント③）

部　急に休むことになったので、いろいろ気になります。すみません。オンラインででも引き継ぎしたほうがいいですか？

マ　療養のために休業しないといけないという、公的な書類が出されたんだから、引き継ぎはいらないよ。

　でも、○○さんが休んでいる間の仕事はチームでカバーするから、机やパソコンの中を見せてもらって仕事を進めておくね。

　しばらくは体調がよくなることに専念するのが仕事だからね（ポイント⑧）。よくなって出社してくれるのを、みんなで待っているよ（ポイント⑦）。ところで、一人暮らしだと聞いていたけど、食事はどうしている？（ポイント⑨）

部　食事は食べられるときもあれば、食べたくないときもあります。でも、近くにコンビニもあるし、宅配サービスも使えるから大丈夫です。

マ　食べられないことがあるのは心配だね。

具合が悪くて仕事を休むことになったのは、必ず実家のご両親にも伝えてね。できたら、実家に帰るか、ご家族に時々でも来てもらえると心強いね。相談してみて（ポイント⑨）。

それと万一、〇〇さんと連絡の取れなかった場合の緊急連絡先は、以前提出してもらったお母さんの連絡先でいいよね？　あくまでも連絡の取れない場合にしか連絡しないから、安心して（ポイント⑤）。具合の悪いときにいろいろ話してごめんね（ポイント⑥）。

これからは、療養に専念することが仕事だよ（ポイント⑧）。職場から電話がかかってきたら落ち着かないだろうし、今後は電話を控えるね（ポイント⑩）。でも、〇〇さんから連絡をもらうのは、いつでも構わないから。

ショートメールでもいいよ。「聞きたいことがある」「いつなら電話を受けられる」くらいの負担にならない内容を送ってよ。その時間に合わせてこちらから電話するからね（ポイント⑪）。

ここまで話していて何か気になったことはある？

部　大丈夫です。いろいろすみません。でも、本当に気になることがあったら連絡していいんですか？　マネジャーは、いつも忙しいじゃないですか？

マ　こちらのことは気遣いせずに、気になることがあったらいつでも連絡して。だけど、仕事から離れて体調をよくするのが当面の仕事だから、ちょっと報告し忘れた、くらいのことでは連絡しなくていいから。

でも、体調がよくなって、復帰できそうになったときは必ず連絡して（ポイント⑧⑪）。

ここまでご紹介したのは、部下思いでコミュニケーション能力が非常に高いマネジャーでしたが、ここからは、多くの職場で見られる不適切な対応について解説します。

休業に入るときの「不適切な声掛け」

部下が長期の休業に入るときに、儀礼的な手続きで終わらせる風景を思い浮かべてください。

部下　（電話で）具合が悪くて、3週間ほど休むことになりました……。

マネジャー　大丈夫？　突然○○さんに休まれると、こっちも大変になるな……。とりあえず診断書だけ会社に送っておいて。

これは極端すぎる例ですが、このやりとりでも大したトラブルにはならないかもしれません。

しかし、多くの働く人にとって、突然病気で長期間休むことは、不慣れで希少な経験です。

中には、長期休業慣れして、疾病利得《しっぺいりとく》（病気になることで何らかの利益を得ること）という休み方で、職場のモラルを乱す人もいないではありませんが、たいていの人は生活や仕事の目途が見えずに、将来への強い不安を抱えてやるせない気持ちでいっぱいになっています。

だからこそ、上司が「休業中は療養に専念すること」「療養が仕事」と、ハッキリと言葉に出して部下に伝える意味があるのです。

診断書が出たら即休業

「療養が仕事という時期だから会社からは連絡しない。でも、気になったときにはいつでも連絡してよい」というのは、療養中も職場との縁が切れているわけではないことを意味しています。

仕事のことが気になってしょうがない部下には、「『仕事のことでちょっと報告し忘れていた』くらいのことでは、連絡しないでいいから」と具体例を出して、療養に専念できる配慮を示しています。

また、**マネジャーは休業する部下からの自発的な動きを当てにしてはいけません。「療養を必要とされた人には、仕事の引き継ぎを一切させない」を原則にする必要があります。**

私が講師を依頼された研修に参加していた、人事部門の人から聞いた話です。


40代女性の阿部さんは、アパレルメーカーの企画部門に勤めるベテラン社員です。

人手不足による残業と遠方に住む父親の看護で忙しさが続く中、しだいに眠れない日が続き、近くのメンタルクリニックを受診したところ、「うつ状態。休養を要す」と書かれた診断書が出されました。

責任感の強い阿部さんは「仕事を休めといわれても、今の状態だったら誰にも引き継げない」と、引き継ぎ書を作り始めましたが、なかなか出来上がりません。
そうこうしているうちに、ある朝突然、仕事に行けなくなってしまいました。4か月休業したことで職場復帰はできましたが、病気が再発しないか不安な気持ちでいます。

一方で阿部さんの上司は、このときの状況を次のように話していました。

自分は異動してきたばかりで、阿部さんを頼りにしていた。引き継ぎ書を作るからと必死な様子を見ていると、少しくらい仕事してもらってもいいかなという気持ちと、具合が悪そうなときもあるけど、笑顔のときもあるから、引き継ぎ書の完成まではお任せしようという気持ちになった。仕事を取り上げるのはよくないのではないか、という考えも働いた。
そうして、診断書をもらったという話を聞いてから、1週間以上職場で仕事をさせてしまった。

阿部さんが突然出社できなくなって診断書の日付を確認したら、診断日から2週間も過ぎていた。

阿部さんはベテラン社員なので、「そんな仕事の仕方でいいのか」という阿部さんの落ち度も気になっている。

職場によってさまざまな事情はあるでしょうが、診断書が出たら即休業に入ってもらうのが鉄則です。この上司のように、休まなかった部下を責めることはできません。

自分の体調を犠牲にしても、「仕事で職場に迷惑を掛けたくないから引継ぎ書ができるまで休まない」という部下の責任感はすばらしいのですが、仕事を割り振るのが上司の仕事です。

体調の悪い部下に、引き継ぎの心配をさせてしまわざるを得ないような仕事の仕方や配分にならないように、平時から部下の仕事の内容を把握して調整しておきたいものです。あまり考えたくない話ですが、急に人が亡くなることだってあるのです。

休業中の部下に、ちょっとだけ確認したいことがあっても、ここはぐっと我慢します。部下の不在を前提にどのように仕事を回すかに注力しましょう。この場合は、仕事の完成度がいくらか落ちたとしてもやむを得ません。

休業する部下に絶対言ってはいけない、不適切な言葉掛け

「早くよくなって復帰してね」

早くよくならない病気もあります。友達ならまだしも、上司が使う言葉ではありません。本調子ではないのに焦って復帰したばかりに再び休業となれば、何度も仕事を引き継ぐ周囲も疲弊します。

「羽を伸ばして休んできて」

元気なときの休業だったら羽を伸ばして英気を養うことができるでしょうが、療養のための休業では、元気なときの気分転換は余計にエネルギーを消耗して、疲弊してしまうことを忘れないでおきましょう。

（特に入院する独身男性に向かって）「看護師さんとの出会いが期待できるね」

比較的軽症のケガのときなどに、元気づけと軽い冗談からこのような声掛けをする昭和型のマネジャーが存在しますが、当然禁句です。

周囲にいる人が笑って聞いていたとしても、そこには苦笑いが含まれていることを意識しておきましょう。また一緒に働けるように、「よくなってほしい！」と心から願うと失言は無意識に封印できます。軽口は、文字どおり軽い気持ちから出てしまうものなのです。

休業に入るときの声掛け～4つのポイント

ここまでをまとめると、病気で休業する部下の対応については、次の4点がポイントになります。

ポイント①　休業が必要になったら、「診断書」を元に、速やかに仕事から切り離す
ポイント②　安心して療養できるよう、上司も部下も意識する
ポイント③　休業中に上司からの体調確認は原則行わないが、本人から

気になることは連絡してもらってもよしとする

※長期休業の場合、人事・総務担当者が職場の窓口になる場合があります。

ポイント④　体調が落ち着いてきたタイミングで、復帰の意思を自然に聴けるような態勢にしておく

ほかのメンバーへのフォロー

部下の休業期間中は、一時的にでもチームメンバーに負担を掛けることになります。こんなときこそマネジャーの腕の見せ所で、チームが一丸となって困難を乗り越えられるような声掛け・心配りが大切です。

【労いと感謝の言葉掛け】

人員不足の状況で業務をこなしていることに対して労いと感謝を伝えられたら、業務を引き継いだメンバーのもやっとした気持ちは大きく軽減します。その上で、どうやったら不在のメンバーの穴埋めができるかに話をもってい

きましょう。メンバーが欠員のままで頑張れるのは、せいぜい2〜3か月の期限付きであるということも忘れないでください。仕事の配分を再調整する、無駄な業務がないか見直す、人員を補充するといったチーム全体への手当も早急に進める必要があります。

【情報提供】

ほかのメンバーには、最低限の情報として休業期間の目途は伝えます。病名を伝える・伝えないは、休業中の本人の意向に沿ってください。

【職場からの連絡】

療養に専念してもらうために職場からは連絡しないようにと、ほかのメンバーに伝えます。休業中の本人からコンタクトがあった場合は、とにかく聴き役になってほしいこと、対応に困ったときにはマネジャーの自分に相談してほしいことを話しましょう。

【お見舞い】

ほかのメンバーからお見舞いの意向が出た場合は、上司が窓口となって、本人あるいは家族にその意向を尋ねます。

【原因探し】

休業の原因がうつ病などの精神疾患の場合、「自分のせいで具合が悪くなったのではないか?」「上司のせいで具合が悪くなったのではないか?」といった犯人捜しのような話が出たときには、否定も肯定もせずに耳を傾けましょう。批評の言葉は一切避けて「そんなふうに思ってしまったんだね」といった、気持ちを返す言葉くらいにとどめるのが賢明です。**マネジャー自身が、特定の人を悪者にして攻撃するようなスケープゴートに結びつく言葉に同調してしまうと、チームの結束はガタガタに崩れます。**

03

休業後の職場復帰は、事前の丁寧な準備が大事

――生活リズムの調整や、自主トレ的な業務の模擬作業が効果的

まとまった病気休業を取ったあとに、スムーズに職場復帰するには、コツがあります。

休業中の従業員が「よくなった」と少しでも感じられたら、脳裏に浮かんでしまうのが「早く仕事に復帰したほうがよいのではないか?」という、焦りの気持ちです。

そこで「復帰したい」と主治医に伝えたなら、主治医は復帰可と判断することが多いようです。一般的に医療機関の医師は、本人がある程度体調がよくなっていて復帰の意思が強いなら、このまま休業しているメリットよりも、復帰するメリットのほうが大きいと考えるからです。

長期休業者の対応経験がないマネジャーが、初めて部下の職場復帰に対応したときに、どんなことが起きやすいのかを、事例を基に考えてみます。

30代女性の江田さんは、保険代理店に勤務しています。気性の激しい性格が災いして、2か月前にお客さまとトラブルを起こしました。「イライラする」「眠れない」「やせてきた」という症状から、心療内科を受診し、うつ状態の診断書をもらって1か月の休業となりました。

休業期間が終わるころ、眠れるようになってイライラすることも減ったことから、復帰の意向を職場に伝えました。

マネジャーは「職場復帰可。ただし軽作業に限る」という診断書の文面と、休業前のトラブルから江田さんの復帰に拒否的な同僚の気持ちとの間で迷いながらも、江田さんに押し切られる格好で復帰を認めてしまいました。

以前のお客さまとのトラブルと、「軽作業に限る」という診断書の内容から、江田さんはそれまでの窓口対応ではなく、書類の照合を中心にした事務サポートの仕事をすることになりました。

江田さんが復帰して3週間経ったある日のこと、江田さんと一緒に仕事をしていた同僚が、マネジャーに泣きつきました。

「江田さんのミスが多すぎて困っています。注意しても怒るし、そのときの形相がギラギラしていて怖いんです」

江田さんは休業する前は、仕事上のミスはほとんどありませんでした。マネジャーは、江田さんを別室に呼んで話を聴くことにしました。江田さんは泣いて訴えました。

「薬はちゃんと飲んでいるけど、調子が今一つよくないんです。前より眠れてはいるけど、どうしてもイライラしてしまいます。仕事を辞めたほうがいいのでしょうか?」

マネジャーは同僚の話を思い出して、江田さんの顔をマジマジと見ると、たしかに以前より目が大きくギラギラしているように感じます。

「こんなうつ状態ってあるの?」という疑問が湧き上がりました。


この事例は、私の研修に参加してくれたマネジャーから、研修終了後に持ち掛けられた相談です。そのとき江田さんは再び休業していて、今後どう対応すればよいのか、というのが相談内容でした。

マネジャーに助言した内容は、次のとおりです。

【よくなかったと考えられる点】

- 復帰が早すぎたのではないか？
- 復帰を検討するに当たり、休業中の過ごし方を確認すべきではなかったか？
- いつもと表情が異なることから、別の病気の可能性を確認すべきではなかったか？

【うまく対応していた点】

- 休業前より江田さんの変化（ミスの多さ、怒りやすさ、目がギラギラしているところ）を同僚も察知できたこと
- 気になった時点で、別室で江田さんから様子を聴くことができたこと
- 本人が匂わせた「退職」を保留にして、再度休業の対応を取ったこと

私は、江田さん本人から主治医に、次の内容を相談してみることを提案しました。

● 復帰後の職場でのミスやイライラについて主治医に話し、治療や診断を再検討してもらう

● 具体的な復帰の目安となる「イライラすることが減り、書類の照合作業でのケアレスミスをせめて1日に数件程度にすること」を主治医に提示し、それを目標にした療養中の過ごし方のアドバイスを受ける

● 「休業可能な期間」「休業中の収入の変化」「収入を補塡できる制度」などを主治医に伝えて治療方針の参考にしてもらう（会社の休業制度などは事前に本人もしくはマネジャーから、会社の人事・総務担当者に確認しておきます）

マネジャーは、右記のことを江田さんに電話でひと通り話した上で、より納得感が得られるように、同じ内容のメールも送りました。

さらに、マネジャーは次のことも江田さんに伝えました。

「ずっと身体を休めていた状態からいきなり復帰したら、気持ちと身体が仕事に乗りきれなくて疲労感は大きくなるし、仕事の精度も落ちることになる。また、復帰してから仕事に慣れようとすると、同僚の仕事のペースとギャップがありすぎるかもしれない。だから、休業中から復帰

に向けて、生活リズムを整えたり、自主トレ的に業務の模擬作業をしたりすると、スムーズな復帰につながりやすいそうだよ」

江田さんは主治医と相談したところ、甲状腺機能亢進症という別の病気を疑われ、専門医のもとで治療を受けることになりました。

そうして体調がよくなると、仕事復帰を意識して通勤時間くらいの距離にある図書館で、仕事に関連する専門書を一定時間で要約して書き写す、という自主トレをするようにしました。

江田さんは、結局2か月ほど休業したのちに、無事に復帰することができました。

復帰した初日は、2日勤務したあとに休日になる日を選び、復帰後の3か月は、毎週上司と仕事の状況や体調面について相談する時間を設けていました。この定期的な面談で、江田さんは徐々に仕事に戻っていくことを実感できたそうです。

復帰に向けた準備と復帰後の対応

病気休業から復職するときの注意点を、次ページの表3－1「休業から職場復帰するために必要なポイント」にまとめています。江田さんにもこの表をお送りして、復帰準備に利用してもらいました。

病気休業後に復帰するというのは「飛行機の離陸に似ている」と、私はよく考えます。

軽減勤務やリハビリ出勤の制度を用意している職場もありますが、休業中ずっと心身を休めることだけに専念していた人が、これらの制度があることを前提に、いきなり仕事に臨んでもなかなかうまくいきません。

具合を悪くしたのちに復帰するときは会社の採用面接に似ていて、多少自信がなくても「仕事できます（前はできていたのだから）」と根拠なく言ってしまうものなのです。そして、そうであってほしいという希望的観測も働きます。

だからこそ、職場復帰をする前の丁寧な準備が、復帰の肝になります。

表3-1

休業から職場復帰するために必要なポイント

医療面	●継続した通院・内服薬の確認ができている ●主治医から「復職可」の判断（診断書）をもらえている
活動性	●休業前に仕事をしていた時間帯に、自宅以外の場所（図書館など）で仕事のシミュレーションができている ●通勤時間帯に、安全・安心な通勤ができる ●睡眠等の休息で心身の疲労回復ができ、翌日も同様に働ける感覚が持てている
予防対策	●休業にいたった状況から、再度休業にならないための分析ができている ●同様の症状が出たときのために、いくつか具体的な対策が用意できている（家族との共有や、症状を記録するなど）

出所：（独）労働者健康安全機構の両立支援コーディネーター基礎研修資料『両立支援コーディネーターの必要性とその役割および留意点』を基に著者作成

「職場はリハビリ施設じゃない」というのは、復帰者の同僚からよく出る耳の痛い言葉です。

復帰者のパフォーマンスの目途が見えてこないと、「お互いさま」という気持ちを維持しにくいのは仕方のないことかもしれません。

好意的にサポートしてくれるチームでも、復帰者のフォローに長く追われながら自分の仕事もしていると不満は必ず出てくるので、マネジャーの細かいフォローが必要になります。

04

「死」を口にする人は、死なないのか？

――死ぬことを口にしたら危険信号

『「死ぬ』『死ぬ』という人にかぎって死なないものだよ」と、まことしやかに語られることがありますが、そんなことは決してありません。

「死」を口にするというのは、すでにその考えが頭に浮かんでいるので、衝動的に自ら命を絶つことがあるのです。

私はこれまでにかかわった職場で、約30人の自殺に接しました。自殺の現場に直接かかわったという意味ではなく、業務契約のあった職場で、面談などで何度かお会いしたことのある方の自殺が約30件ということです。

「弊社の〇〇が自殺したと家族から連絡がありました。もともとメンタルクリニックを受診中だったので、弊社に責任はないですよね？」といった質問を受けたこともありました。読者のみなさんは「ひどいことを言うな……」と感じられるかもしれません。

しかし、何かと突っかかってくる扱いにくい部下や、ふだんから苦手だと思っていた部下が自ら命を絶ったと聞いたあとに、同じような反応をしないと断言できるでしょうか？

残念だが、自殺は起きてしまうことがある

あらためて、30人の自殺をした人たちの姿を思い起こしてみると、次のようにどこの職場にもいるようなふつうの人たちが多かったように思います。

- 精神不調で受診していると聞いたことがあるが、仕事は休んでいなかった
- 悲観的なことを言うけれど、まわりの人を笑わせることもあった
- 同居している家族がいた
- 友人はいたようだ
- 亡くなる前の日も同僚と冗談を言い合っていた

いかがでしょうか。私たちは、自殺という、起きてほしくない出来事については、特別なこととして無意識に考えないようにしてしまいがちです。

また、自殺は予知できなくて当然といった理由を、無理にでも探そうとします。そして、起きてしまってから「まさか、〇〇さんがそのようなことをするとは思わなかった」と、異口同音に言うものなのです。

しかし、**自殺をした人たちの上司や同僚に詳しく話を聴いてみると、多くの場合危険なサインが見えていたようです。**

自殺のサインを見逃さない！

私は、人が命を絶ったあとに「こうすればよかったのに」と率先して言うようなことは控えています。

自殺をした人のいた職場では、口に出さなくとも誰もが心に傷を受けています。取り返しがつかない過去への改善提案などは不毛です。まずは、起きてしまった状況を受けとめることが必要です。

ただ、悔やまれるのは、現在の職場のメンタルヘルス対策の研修では、自殺の話にまでしっかり踏み込まないことが多く、そのために防げなかったケースがあることを実感しています。

ざっくりとした統計ですが、仕事をしている人（有職者）の自殺率は、2022年で約0・1％なので、計算上は100人くらいの職場だとまったく経験しないですむことになります。

多くの精神科医が、すべての自殺を防ぐことは難しいとし、予防が難しいものであることもわかっています。

それでも、私は経験上、自殺はちょっとした知識である程度防ぐことは可能だと断言します。

上司として、どのような状況に気に留めないといけないのか、「自殺リスクへの着眼点」を次にご紹介します。

【自殺リスクへの着眼点】

①うつ病・うつ状態である
②重度の身体疾患がある
③原因不明の身体の不調が長引いている
④以前より飲酒量が増えている
⑤自己の安全や健康への意識が低い
⑥仕事の負担が急に増えた

⑦大きな失敗をした
⑧職場や家庭からのサポートが得られていない
⑨本人にとって価値あるものを失った
⑩自殺を口にする
⑪自殺未遂におよんだ

これらの「着眼点」のどれかが当てはまる場合は、まず、仕事のパフォーマンスが以前と比べて落ちていないかを確認してください。そして、プライバシーが保てる場所で個別にじっくり話を聴く機会を設けることをお勧めします。

着眼点の「⑤自己の安全や健康への意識が低い」というのは、なげやりな行動や言動で危なっかしさがあるといった状態です。

「⑩自殺を口にする」というのは、「死にたい」といったストレートな発言に加えて、「消えてしまいたい」「いなくなりたい」といった間接的に自殺をほのめかす言葉も含みます。

このような職場の事例があります。

40代後半男性の佐々木さんは、大手印刷会社の人事部に勤めていました。仕事熱心で昇給や昇格にこだわりがあり、会社に成果を認めてほしい気持ちの強いことを同僚も何となく察していました。

もともと悲観的な言葉をたびたび口にする人でしたが、部署異動がきっかけで調子を崩して通院治療をしていました。

ある人事評価の面談でのことです、同期入社の社員が評価されて昇級する中で、一人昇級が遅れたことを淡々と上司から告げられた佐々木さんは、「俺なんか、いなくていいんだよな」と、同僚や先輩にぽつりと言っていたのを、上司は背後で聞いていました。

話す相手を替えて、再び「俺なんか、いなくていいんだよな」とこぼした彼に、一人の先輩が「おまえ、またそんなことを言って……。そんなこと言うなよ！」と、明るく笑いながら励ましていました。

佐々木さんは、その日の帰宅途中に、電車のホームから身を投じました。体調が少しよくなってきたと周囲の人たちも感じていた矢先の出来事で、今でも本当に悔やまれてなりません。

あとから「先輩の励ましを聞いて、一瞬こわばった佐々木さんの表情が今でも忘れられない」と語る同僚がいました。

何気ない職場の風景のようですが、後日このエピソードを聞いた私は、やるせない気持ちでいっぱいになりました。というのは、佐々木さんが話す相手を替えて2度も「俺なんか、いなくてもいいんだよな」と発した言葉は、自殺が頭に浮かんでしまう不安な気持ちを何とか受けとめてほしいという貴重なサインだったのです。それを受けとめられなかったことが本当に残念でなりません。

マネジャーの対応

部下の自殺のリスクを察知したマネジャーは、どのように対応すればよいでしょう?

自殺は、自殺の準備状態に、トリガーとなる「きっかけ」が加わったとき

図3-1

自殺をほのめかされたときの「TALKの原則」

自殺の危険が非常に高くなっている

自殺 = 自殺の準備状態 + きっかけ

一方的に話したり、常識論、安易な解決策や励ましはしない

Tell	●「あなたのことを心配している」と伝える
Ask	●「死にたいと思っている?」と率直に尋ねる
Listen	●相手の絶望的な気持ちを徹底的に傾聴する ●「死なない約束」をさせる
Keep Safe	●危険性のある場合、まず本人の安全を確保する ●家族と連絡を取り、専門家の受診につなげる

に起きやすいといわれています。自殺を匂わせる言葉を口にするというのは、まさに準備状態です。

自殺をほのめかすようなことを部下が言った場合は、自殺の危険性が非常に高まっていると考えて、図3－1にある「TALKの原則」に従って対応してみてください。これは、カナダの自殺予防団体「Living Works」が提唱しているもので、現在、わが国や自治体でも広く使われているものです。

まずは、心配していることを伝え（Tell）、死にたいと思っているのか相手の気持ちを尋ねます（Ask）。

そして、絶望的な気持ちを徹底的に聞いてください（Listen）。このとき当事者はなかなか言葉にしにくいものですが、「死なない約束」を取り交わしてください。もし、少しでも危なっかしさを感じたなら、臆せずご家族に連絡を取って、精神科医の受診につなげてください（Keep Safe）。

【「TALKの原則」を行うときの4つのポイント】

①魂を込めて「心配している」というメッセージを伝える

自殺を考えている人は、対峙する人の一挙手一投足に敏感です。ましてや、職場で利害関係のある上司は「言葉だけの見せかけだけではないか？」という疑念をもたれやすいものです。日ごろから好意をもてない部下であっても、大事なチームの一員です。あなたの対応次第で、人を失う可能性があることを強く意識してください。

②真摯に向き合う

慣れない言葉掛けに、照れ隠しの薄ら笑いのような表情が出たりしないように、十分に気を付けてください。そういった思わず出てしまった態度で、せっかくの対応が台無しになってしまうケースがあります。

③「死なない約束」を必ずさせる

本人は、口に出しにくい気持ちがあると思いますが、言語化して真剣に約束したことで、防げる自殺があることを肝に銘じてください。

④心配なときは、家族に連絡して精神科医を受診させる

「死なない約束」をしてもらったが、どうも心もとない感じがする、あるいは、つかみどころのなさを感じて心配なときには、必ず家族と連絡を取り、心配ごとを共有してください。そして、精神科医（できれば、自傷の恐れがある患者さんに適切な対処を行うことのできる精神保健指定医）に相談してください。職場はこのような万一の緊急連絡先として、従業員の緊急連絡先を定期的に把握・更新しておく必要があります。

ある人材派遣会社の30代男性は、「上司の形式的な面談に滅入った」と書いた遺書を残して逝ってしまいました。

この男性の上司は、部下の調子の悪さに気づいて、「とりあえず病院を受診するように」とだけ伝えていたのです。ちょっと面倒だなぁという気持ちが頭をもたげて対応を端折ったばかりに、哀しい結末になってしまいました。

二度と、こんな食い違いが起きないようにしたいものです。

家族が遠方に住む部下の場合は、本人の同意のもとに、上司が病院の受診に同伴して、自殺の心配について医師に相談するという方法（受診同行）もあります。

私自身にも、親しくしていた元同僚を自殺で失った経験があります。彼女は、桜が散る季節に自ら命を絶ちました。私はそのころ彼女とは違う職場にいて、後日ほかの同僚からその事実を聞かされました。

手を差し伸べられなかった状況だったと自らに言い聞かせても、なぜ察知できなかったのだろうという自責の念が、今でも無意識のうちに出てきます。

何年経っても桜の散る季節がくると、彼女の姿を思い出してやりきれない気持ちになります。後悔はいつまでも拭いきれません。

この本を読んでくださっている読者のみなさんには、同じような気持ちをずっと抱えてしまう経験をしてもらいたくありません。「ＴＡＬＫの原則」とそれを行うときの４つのポイントを、是非覚えておいてください。

05

部下が働き続けられるための環境整備はマネジャーがかなめ

――上司にしかわからない部下の仕事振りがカギとなる

ここまで読んでいただいて、部下が働き続けられるために配慮した環境整備の主導権は、マネジャーが大いに握っていると理解いただけたと思います。

ところで、診断書などに書かれる「軽作業なら可」という主治医の意見は、病気休業後の部下の仕事を割り振ったり、障害がある人を新たに雇用したりする場合に、マネジャーを悩ませる典型的な表現です。

少し前の時代だと「軽作業なんて、うちの職場にはないよ！」といった声を、本当にたくさん聞いてきました。

しかし、**この「軽作業なら可」に応えられる仕事をいかに現場でうまくつくり出すのかも、これからの時代は大切なことです。決して、単純作業を多くつくってくださいという意味ではありません。**

部下の心身の特性に応じた仕事を小分けにして、さらに、その仕事の難易度を少しずつ上げていく、といった意味合いです。実は、定型の単純作業ばかりだと、ストレス要因になるともいわれています。

働く人に応じた裁量権（自分の判断や自分のペースでできる部分）をいくらかは確保するようにします。それに加えて、多少の困難があっても乗り越えられるくらいの仕事を割り振ると、やりがいが見いだせるでしょう。

次に、障害があっても働く女性の事例から、部下の特性を見極めたマネジメントについて考えていきたいと思います。

30代女性の岸田さんは、小型部品メーカーの総務部に勤務しています。岸田さんは、子どものころに片腕を機械に巻き込まれて切断し障害者雇用で働いていました。片手で器用にパソコンを操作していたので、誰もが彼女の障害を感じませんでした。でも、あるとき職場で岸田さんがハッキリと言った言葉に、まわりが水を打ったように静まり返り、聞き入ってしまったそうです。

「誰もが私の障害のことを『まったく感じないよね』と言ってくれるけど、私には片腕しかないから、両腕で持たないといけない荷物は持てないのよ。でも片腕で多くの荷物をどうやったら運びやすく持てるのかは、

ほかの人よりも考えられると思う」

岸田さんのこの言葉にヒントを得たマネジャーは、岸田さんにアイディアをもらいながら、棚の配置や給湯室のレイアウトを誰もが安全で使いやすいように整備しました。さらにその視点を応用させて、シニア社員がオフィスで躓きやすい箇所はないかなど、職場を働きやすい環境に変えていきました。

働く人が多様になるということは、人の能力も多様になるということです。仕事をするときの基準になる物差しを、マネジャーが人に合わせて変化させることができると、人と仕事の可能性は広がります。

次にご紹介するのも、私が忘れられない事例の一つです。

法令の書籍や書類を扱っているその会社は、精緻な文書整理能力がほとんどの従業員に必要とされる職場でした。

20代後半で男性社員の工藤さんは、仕事の内容がよくわからないままこの会社に転職しましたが、わずか半年で「適応障害」の診断名がつき休業することになりました。

工藤さんは、この会社で必要な法令知識が十分でない上に、ケアレスミスが多かったようで、休業前の上司は「能力的に無理があるようなので、休業から退職という流れになってもやむを得ない」と考えていました。しかし、工藤さんは頑として「絶対に復帰する」という意向を曲げませんでした。

休業に入るきっかけの一つに上司の度重なる叱責があったこともあり、人事部では、復帰後の上司は、気長に工藤さんを育成してくれそうな小林さんというマネジャーに白羽の矢を立てました。

そうして工藤さんは小林さんの部署に異動して、復帰することが決まりました。休業後の復帰先は原則として元の部署がよいとされていますが、今回はイレギュラーな復帰先となりました。

新たな上司になった小林さんは、緊張した面持ちの工藤さんに「新入社員に戻ったつもりで、仕事の構造を考えながら、一から覚えていこう」と、声を掛けました。

工藤さんより年齢の若い社員がいなかったのも幸いでした。手の掛かる末っ子を、みんなで育てていこうという雰囲気になっていきました。

「ケアレスミスはなかなか減らせないけれど、情緒が安定してきた。面倒なことにも粘り強く取り組み、仕事の本質をつかむ力は長けているように見える」というのが、小林マネジャーの工藤さんに対する評価です。
工藤さんは、それから少しずつ仕事の幅を広げていき、今では貴重な会社の戦力になっています。

現在、多くの職場は人手不足ゆえに少数精鋭で、適切かつ迅速に処理する総合能力の高さが期待されがちです。そのため、仕事の評価は減点法に偏りがちになり、表からは隠れて見えない、その人にしかない貴重な能力に気づきにくくなります。

障害がある岸田さんの事例と、最初の上司から能力を低く評価された工藤さんの事例は、見えづらかった彼らの能力に光を当ててチームに還元させたというよい例ではないでしょうか。このような目の付けどころは、マネジャーが意識することで見いだせる視点なのだと思います。

事例クイズ

持続可能なチーム力を鍛える！

問題3

40代前半の男性Cさんは、4か月前にビルメンテナンス会社に入社したばかりです。入社して2か月目の11月のある夜、自宅で猛烈な頭痛を感じて救急車で搬送されました。クモ膜下出血の診断を受け、脳動脈瘤コイル塞栓術という手術により何とか一命をとりとめました。

ちなみにCさんは、夜勤のシフト勤務ではありましたが、入社して日が浅かったことから残業はまったくありませんでした。

術後は幸いなことに後遺症はまったくない状態で、「仕事はふつうにできると思う。やっと正社員で採用されたのだから、ここで辞めるわけにはいかない。日勤の仕事で収入が減るのも困る」と、職場復帰に意欲的です。

そして、職場は人手不足でCさんの即戦力はとても貴重です。

Cさんにスムーズに職場復帰してもらうには、もっとも考慮すべきポイントは以下のどれでしょうか?

①勤務状況を踏まえた、本人の職場復帰の意欲
②勤務状況を踏まえた、職場復帰についての家族の意見
③勤務状況を踏まえた、職場復帰についての主治医の意見

解説

どの選択肢も決して間違いではありませんが、①の「本人の職場復帰の意欲」だけでは、スムーズな復帰につながらない可能性があります。

②の「家族の意見」は、客観的な情報として、本人の意欲よりも参考になるところがありそうですが、家族としての思いが先行して冷静に判断できない場合があることを考慮すべきです。

③の「主治医の意見」は、主治医に実際の仕事内容や勤務状況を詳しく理解してもらい適切な判断をしてもらうのが、スムーズな復帰の大きなポイントにつながります。

一般的に夜間勤務は昼間の勤務より体力面も精神面も負担が大きくなります。また、Cさんの職場復帰は1月という非常に寒い季節で、脳血管疾患になったばかりの人は、大きな負荷になるようなことは避けたい時期です。

そのようなことを加味して、Cさんとその上司、人事・総務部員とが一緒になって「勤務情報提供書」を作成しました。この提供書の中で、職務内容や勤務形態、休業可能期間、利用可能な制度について触れ、上司からCさんに、一時的に収入は下がるけれど、健康上のリスクを減らして働き続けることが大事なことを伝えて、1年は日勤帯で勤務して、それから希望の夜勤に復帰することに納得してもらいました。なお、勤務情報提供書の様式については、厚生労働省の「勤務情報を主治医に提供する際の様式例」（2023年10月10日アクセス https://www.mhlw.go.jp/content/11200000/000943094.pdf）を参考にしてください。

解答

③

問題4

うつ病で3か月休業していた、30代前半の男性Dさんが自殺したと、父親から上司に電話がありました。Dさんは小規模のＩＴ企業の社員でした。

上司は、休業前も休業中も療養のポイントを押さえて対応してきたつもりでしたが、仕事はリモートワークが中心で、Dさんの状況を十分にわかっていなかった引け目がありました。電話口で父親は、「休業中だからといって会社が本人に何も対応しなかったことが、自殺の原因の一つではないか」と攻撃的で、上司は対応に苦慮しています。

このあとの上司の対応として好ましくないものは以下のどれでしょうか？

①Dさんの父親の言い分をしっかり聞く

②リモートワークが多く、メンバー間のコミュニケーションが密でないことから、メンバーにはDさん逝去の事実は伏せたままにしておく

③人事・総務部門に状況を説明し、メンバーに早急にDさん逝去の事実を伝え、メンバーそれぞれの思いを聴く場を用意する

解説

①の「父親の言い分をしっかり聞く」は正しい対応の一つです。家族が急に命を絶ったときの遺族の動揺は想像を超えるものです。それによって、怒りの矛先が職場に向いてくることはあります。家族の言い分にはしっかり耳を傾けて遺族のつらさに誠心誠意向き合いましょう。聞かれたことには冷静に事実を伝えて、判断に迷うことは、社内で調査し対応します。職場として死を悼む気持ちも必ず伝えてください。

解答

②

②の「メンバー間のコミュニケーションが密でないことから、Dさん逝去の事実は伏せたままにしておく」は好ましくない対応です。自殺が起きたあとの対応のことを「ポストベンション」といいます。ポストベンションでは、残された人への影響をできるだけ小さくすることを目指します。そのためには、その事実を隠すことは適切でないとされています。必ず、事実は漏れ伝わります。そうなってしまうと、チームのパフォーマンスは混迷します。

③の「メンバーに早急にDさん逝去の事実を伝え、メンバーそれぞれの思いを聴く場を用意する」とは、チーム内への情報共有です。こういった場合は、わかっている事実のみを客観的に伝えるようにして、死を悼む気持ちを言葉にしてください。情緒的な表現に傾かないよう注意して、「自殺はいけない」というような正論を振りかざすことは避けましょう。

言語化することで、気持ちや感情がいくらか整理されるので、メンバーがお互いをとがめることなく、Dさんについて、ありのままの感情を出して語り合うことが必要です。ただし、喋りたくない人は黙っていられるような心配りも忘れないでおきましょう。

第3章／まとめ

- 部下から休むという連絡があったときは、状況をよく聴く。休業者が出た場合は、ほかのメンバーが納得できる説明を心掛ける
- 病気休業は、上司も部下も療養に専念するための期間であるという意識合わせをする。休業中に上司から体調確認の連絡は原則行わない。ただし、本人からの連絡はよしとし、体調が落ち着いてきたタイミングで復帰の意思を自然に聴ける態勢にしておく
- 復帰の目途が見えたら、主治医の許可のもと、復帰後の仕事を想定した自主トレを勧める。復帰後は定期的に面談を行い、仕事や健康状態を確認する
- 特に精神的な不調（長引く身体疾患や難治性の疾患による精神的な不調を含む）は自殺リスクを伴うので、自殺リスクへの着眼点を押さえておく。自殺をほのめかすことがあれば、「TALKの原則」に従う
- 部下の仕事振りを見るときは、欠けている能力だけでなく、その人ならではの能力がないか意識する

COLUMN

障害がある従業員と共に働く

たとえ障害があっても「働く」ということは、ほかの従業員と同じように「労働力を提供して賃金を得る」ことに変わりはなく、それが雇用契約を結んでいるということです。

しかし、障害を抱えていると、ほかの従業員とは異なる心身の制約があります。本章の事例でご紹介した岸田さんは、片腕のないことを感じさせない仕事振りでしたが、片腕がないのは事実で、両腕のある人とまったく同じ仕事を当然のように依頼するのは筋違いです。

障害を考慮して、どんな仕事ならできるか、どんなサポートがあると仕事がやりやすいのか、といった視点から仕事を割り振ることが大事になってきます。

国は、この考え方を「合理的配慮」として、『合理的配慮指針事例集【第三版】』（2023年10月10日アクセス https://www.mhlw.go.jp/file/06-Seisakujouhou-11600000-Shokugyouanteikyoku/0000093954.pdf）を提供しています。是非、参考にしてください。

2023年度から障害者法定雇用率は、2・7%となりました。マネジメントに当たっては、部下の特性に合わせた合理的配慮も必要ということを忘れないでほしいと思います。

そして、障害がある人も、「雇用契約を結んでいる」意味をしっかり知っておく必要があります。いくら、周囲が配慮しても、本人が雇用契約に応える姿勢や行動が十分でなかったら、チームの運営に支障をきたすことがあります。

たとえば、こんな相談を受けたことがあります。

- 障害者雇用で採用した社員が「私は法定雇用率を満たすために採用された。雇用率アップに貢献したことで十分に仕事をしたはずだから、目先の仕事はしなくてよい」と公言し、勤務中、頻繁に仕事とは関係のないウェブサイトを閲覧している。加えて、「体調不良」と言って突然休むことが時々ある。どのように注意したらいいのか?
- 脳血管疾患で障害者手帳を交付されているにもかかわらず、30分おきにタバコ休憩に行ってしまう。どうしたらいいのか?

どちらも、同僚のやる気をそいで孤立してしまい、上司が困ってしまったという話でした。障害がある人には「強く言えない」という周囲の気兼ねが働くようですが、障害があって働く人にも相応の「自己保健義務」の考え方は必要です。

自己保健義務とは、働く人が自分の心身に気を付けて働くことです。労働安全衛生法第66条には「健康の保持増進に努め、健康診断を受診し、その結果の保健指導を利用して健康維持に努めなくてはならない」との主旨が定められています。

意外にも、「そんな話は聞いたことがなかったけれど、働くことには自分がやらなきゃいけない健康管理が含まれていたんですね」と、障害がある人から言われたことがあります。

特に働きはじめの新入社員を対象にした研修では、是非、自己保健義務の説明を取り入れてください。

第4章

健康危機への対応

実践編

チームの有事

01

従業員の半数が感染症で休業、そのときどうする！

――平時の事前準備で、健康危機を乗り切る

２０２０年ごろに始まった新型コロナウイルス感染症の拡大は、私たちの生活や仕事に大きな影響を与えました。新たな感染症などによって、似たような事態は今後も十分に起こり得ます。

本章でははじめに、新型コロナウイルス感染症の拡大によって起きた職場の健康トラブルを見つめ直し、新たな感染症蔓延の未然防止策を考えてみましょう。

２０２１年に東京オリンピックが行われようとしていた夏のころ、デルタ株が猛威をふるった第５波を思い出してください。

重症者への治療薬は開発されていましたが、軽症者への特効薬はなく、変異株の影響から40代で基礎疾患のない人でも亡くなるケースが報告されていました。

緊急事態宣言が出されて、無観客でのオリンピック開催が決まっていました。無観客とはいえオリンピックを開催することや、夏の開放的な気分のもと起きた事例をご紹介します。

緊急事態宣言下でしたが、従業員約30名で不動産業を営むこの会社では、「これまで、わが社では誰も新型コロナウイルス感染症にかからなかったから、このくらいいいんじゃないか」と、週末に郊外でバーベキュー・パーティーを開催しました。

強制参加ではなかったため10名ほどの参加でした。屋外でお酒も交えた開放的な集まりに、その日は楽しく終わりました。

結局、バーベキュー・パーティーの参加者の一部が感染し、濃厚接触者も加えると20人が出社できなくなりました。

何より、経営幹部3人は基礎疾患があったことなどから、保健所からそれぞれに入院を勧められました。

「会社が動かなくなるじゃないか！　マスクをして人との距離を空ければ仕事してもよいだろう！」と副社長は強く訴えましたが、保健所の担当者からは、感染症法に則って入院が必要ということや、死にいたるかもしれない状況での医療対応の必要性を切々と30分以上説明されました。

社内では出社できた部長と課長とで、手分けをして仕事を整理することにしました。事業を一旦停止する旨社外に周知することや社員全員の接触状況と健康確認の一覧表を作りつつ、最小限行うべき仕事の洗い出しを行いながら、顧客や家族からの電話対応に追われました。

当然不眠不休に近い状況でしたが、幸いにも経営幹部がつくりかけていたＢＣＰ（Business Continuity Plan：事業継続計画）が、その後の仕事の見通しを立てる手掛かりになりました。

全員の出社がかなうようになったのは、バーベキュー・パーティーから3週間後でした。残念ながら社員の一人は亡くなってしまいました。この間の仕事はほぼ休止状態に近いものでした。

幸いに、会社の解散までは避けられましたが、バーベキュー・パーティーの噂や、経営幹部が揃って入院する事態による社外取引先等の信用失墜はありました。

実は、新型コロナウイルス感染症の拡大がいわれたころから2年ほど、私は本業のかたわら保健所の仕事の応援に行っていました。その間、このような事例に数多く遭遇しました。異口同音に最初に言われるのが、「まさか、自分が！」です。次いで「仕事をどうしよう……」です。

会社として、BCP（事業継続計画、詳しくは220ページを参照）のようなしっかりとした方策はもちろん必要ですが、**チームのマネジャーが自分ごととして、すぐに頭に浮かんでくるような対策があることほど、心強いものはありません。**

あなたが、先ほどの部長や課長の立場になったとき、あなたと部下の体調を崩さないように配慮しながら、チームを回すのに必要なことはどんなことでしょうか？　次の5点のポイントを参考に考えてみましょう。

①チーム内の健康状態と感染状況を確認

日ごろから、当たり前のようにメンバーの健康状態に目が向けられていれば、有事のときもスムーズです。**ふだんの体調、喫煙の有無、独居や食の好**

み等を「何気なく、でも、しっかりと」把握できていると、滅多にない緊急事態にも役立ちます。

②チーム内の緊急連絡先と緊急連絡体制を確認

これまでにも書いてきたように、チームメンバーとすぐに連絡が取れる体制にしておくことが、思わぬ有事に役立ちます。

日ごろから「緊急時には、メール、チャット、電話を組み合わせて『即状況がわかるようにしておく』のが、自分たちの仕事をスムーズに回すポイントになるからね」ということを共有しておくとよいでしょう。

③一人ひとりが業務を見える化しておく

ある日突然一人が欠けたら仕事が回らないということがないように、**日ごろからチームメンバー一人ひとりが、自分の業務をほかの人にいつでも任せられるように（見てわかるように）しておきます。**こういったことがメンバー全体に定着できていると心強いです。

また、前述の事例から示唆されるように、「誰かが動けなくなったとき」「コミュニケーションが取れなくなったとき」の補佐体制を決めておくことをお勧めします。いわばチームの中のそれぞれの役割の、ナンバーツーとナンバースリーです。これがあるかないかで、まったく変わってきます。

④残す仕事、削ってもいい仕事の仕分け

チームのメンバーの数が限られてしまったときには、その数で対応できる仕事しかできません。その場合は、チーム全体の仕事を俯瞰して、一番残さないといけない大事な仕事は何なのか、いくらか目をつぶって削ってもいい仕事は何なのかを見極めておく必要があります。その仕分けができていれば、有事もスムーズに乗り越えられます。

不眠不休は、長く続けられるものではありません。**睡眠時間は少なくとも6時間は確保すること、イレギュラーな仕事を行うときには、とりあえずの設定で構わないので「(いつになったら)体制を見直そう」といった「目途」があれば、多少の頑張りはききます。**

⑤役職者不在時の仕事の回し方を確認

前述の事例のように、会社の中枢の複数名が抜けるとお手上げになってしまう職場は少なくないでしょう。そのためには、日ごろからチームマネジャ

ーだけにとどまらず、チームメンバーも会社やチームの組織運営についてわかっているほうがよいわけです。

これら5つのポイントは、感染症のほかにも地震や風水害などの災害時にも有効です。新型コロナウイルス感染症で浮き彫りになった有事への備えを無駄にしないで、今一度方策を考えておきましょう。

私の契約先の会社では、新型コロナウイルスの感染症分類が変わっても、会食のリスクヘッジとして、次の3点を意識するようになったと教えてくれました。

①社内幹部が複数名で揃って会食をすることは極力控える（中枢部が全滅といった事態を避ける）
②飲酒を伴う会食は、日の間隔を空けて週に2回までにする（万一感染していたときに連日の会食は、感染拡大の発生源になってしまう）
③会食は2時間までを目途にする（会食の時間が長引くことで感染確率を上げてしまう）

他社の例を参考に「うちの職場だったらどうするか？」とシミュレーションができて施策につなげられると実効性が上がり、きっと活きた対策につながるはずです。

02

イメージしておきたい、仕事に関連した病気・ケガ・死

――どの職場にも起こり得る労働災害（労災）を知っておく

よく耳にする労働災害、いわゆる「労災」は、あなたの職場では無縁なものでしょうか？

多くの人は生活のために仕事に出掛けます。「行ってきます」と仕事に出掛けたまま帰らぬ人となったり、ケガや病気で休業が必要になったりすることは、あってはいけないことです。だからこそ、生活を守るための公的な保険給付のしくみ「労災保険制度」があります。

ケガや事故が起こりやすい職種では、労災防止について非常に力を入れて教育されているようですが、オフィスワークを中心としている職種や、労災をほとんど経験したことのない職場の人に尋ねてみると、「今どきの労災は、長時間労働やハラスメントなどが原因の『うつ病』が大半でしょう」「うちの業種は、建設業や製造業などのように危険を伴う業務はないから、労災は関

係ない」というように、「労災」のイメージが、本来のものからずいぶんと偏っていることがわかりました。そこで、労災について簡単に押さえておきたいと思います。

うつ病も労災補償の対象になることがある

簡単にいうと、労災とは仕事が原因で負傷、疾病、死亡することで、通勤中の事故やケガも含まれます。

建設業で高い場所から墜落するとか、製造業で機械に巻き込まれるというのは、仕事との因果関係が明確なので労災としてわかりやすいでしょう。

それに加えて、21世紀になるころから、過労死が注目されています。過重な労働が大きな要因となって、精神疾患（うつ病など）を発症した場合も労災補償されるようになりました。

また、もともと過労死は、「過重な労働があって、それによって脳・心臓血管系の疾患が悪化し、死または労働不能になったもの」と定義されていることを理解しておく必要があります。

つまり、いわゆる過労死関連の労災には、過重な労働（客観的にわかりやすいものとして、長時間労働）が認められた上で、次の①と②の2種類があります。

①脳・心臓血管系疾患で亡くなったり、休業が必要になったりする労災
②精神疾患で亡くなったり、休業が必要になったりする労災

次からは、オフィスでも起こる可能性がある3つの事例を見ていきます。どれも、「まさか、自分が当事者に！」というケースばかりです。

非常階段で骨折

曽根さんは、スーパーマーケットの本社部門で昨年から商品事務管理の仕事をしている、60代のパート勤務の女性です。急ぎで1つ下のフロアにある部署に書類を届けるために、非常階段を使って小走りで駆け下りたところ、階段の踏み板の先端部分（段鼻）につま先が引っかかって転倒し、3か月の休業が必要な骨折を負いました。

【解説】

曽根さんの判断で非常階段を使って負傷したとしても、職場の管理責任は問われます。仕事中の行動なので労災です。ちなみに、仕事の帰り道に、通常の通勤経路と異なる経路を使って負傷した場合は労災にはなりません。

職場として再発防止策を考えないといけません。

「注意しろ」と注意するのでは不十分なのは、周知のことと思います。「人は失敗する生き物」と言ったのは、松下幸之助さんでした。

この事故の場合、次のような要因が考えられます。

- 非常階段は色が全体にグレーで、先端部分が識別しづらかったこと
- 急いでいたこと
- 曽根さんは在職年数が短く、オフィスの勝手に慣れていなかったこと
- 60代という年齢で、身体機能（筋力、骨密度・体幹保持など）が低下していた可能性があること

そこで、曽根さんの上司は、業務の都合上非常階段を使うことの多い実態から、非常階段の先端部分がよく見えるように、色をつけてもらうことを提

案しました。

全社員への教育としては、非常階段を小走りで使わないことやその注意喚起の掲示。また、高齢の社員が増えていることから、簡単な体力測定の機会を設けるように会社に提案もしました。

オフィスワークで危うく過労死！

次にご紹介するケースは、労災にはならなかったものの、いろいろと考えさせられた事例です。


40代男性の田中さんは、ＩＴ企業で営業職をしています。ひと月当たりの残業時間はたいてい30～40時間です。顧客との会食の機会が多い上に、もとより飲んだり食べたりが大好きな人です。

健診では、肥満、ＬＤＬコレステロール（悪玉コレステロール）高値と血糖高値が指摘されますが、自覚症状はまったくないので医師に強く勧められても決して病院には行きません。

ある日、客先から戻ってきて事務処理をしていたら、あっという間に

22時を過ぎてしまいました。

「まずいなぁ」と思ったのとほぼ同時に胸のあたりが締め付けられる感じがして冷や汗が出てきました。自席の周囲を見渡してもフロアには自分一人しかいません。ふと思い出して、職場の入り口のドアに書いてあったビルの防災センターに電話をし、救急車を手配してもらいました。田中さんの職場は、オフィスの密集する都市部の高層ビルの中にあり、防災センターに常駐する警備員が救急車等の緊急車両の交通誘導を行っていたからです。この機転で田中さんは一命をとりとめましたが、心筋梗塞でステント留置術を受けて、仕事に復帰するには3か月を要しました。

田中さんのマネジャーも、田中さんの無事にホッとしたものの、職場でもし倒れて意識を失ったままだったら、翌朝出社した社員が冷たくなった田中さんを見つけるという事態になったのではないかと、ぞっとしました。

田中さんは、医療機関で労災の申請について尋ねられましたが、会社の人事・総務担当者と相談した結果、長時間労働や頻繁な出張など過重な労働と思われる勤務実態には該当せず、何より自分自身の健康管理の怠りこそが誘因であったのがよくわかったため、労災を申請するのは適当ではないと考えました。

【解説】

脳梗塞や心筋梗塞は、職場で行われている健診の結果から、いくらか予見できます。

いわゆる生活習慣病とも呼ばれる「高血圧」「脂質異常症」「高血糖（糖尿病）」は血管を傷める疾患であり、脳・心臓血管疾患の引き金となるものですが、第1章でも触れたように、働く人の多くは田中さんのようにデータに異常値が見られます。これらは自覚症状がないので、放置されることも多々あります。

田中さんは、人事・総務担当者と労災申請認定の相談をしながら、健診結果を軽視していたことを反省しました。何より、若いその担当者に「田中さんは自己管理ができていませんね」と言われた胸の痛みのほうが大きかったそうです。

なお、田中さんの職場で、緊急時の対応ルールを出入り口のそばに掲示していたことはよい取り組みです。職場は、ビルの密集しているオフィス街にあります。救急車を呼んだときに、どこに停車してもらえばよいか、また、どのように救急車を誘導するかが課題になります。

そのためこの会社では、「緊急時はビルの防災センター（内線○○○○）に連絡してください」と大きな文字で表示し、電話機も出入り口のそばに設置していました。

上司は、田中さんに残業をあまり命じていなかったものの、健診の結果については、「時々産業医に呼び出されているな」くらいの認識でした。

そこで、人事・総務担当者と相談し、健診の結果が「要医療機関受診」や「治療中だがコントロール不良」などの著しい所見があった部下については次のルールで対応することにしました。

- **マネジャー**　「医療機関を受診したか？」「健診結果は改善したか？」を確認する
- **人事・総務担当者**　健診時点よりも改善されたことのわかる健康情報を提出してもらう

併せて22時を過ぎるような残業を極力防ぐために、「21時を過ぎる残業については事前申請を基本とすること」「フロアの最終退室者を1人にしないこと（最後の2人は一緒に退社すること）」を職場内のルールに提案しました。

障害がある社員が加害者に？

千葉さんは、コールセンターに長く務める視覚障害のある50代の女性社員です。千葉さんの会社には少し離れたところに、もう1か所コールセンターがあります。ある日、もう1か所のコールセンターに応援に行ってほしいと要請がありました。時々週末に遊びに行く駅の近くでもあったことから、二つ返事で応えました。

しかし、応援先の職場から、「出勤時間になっても到着していない」と連絡がありました。千葉さんの上司は、携帯電話にショートメールを送ることにしました。

「何かあった？　落ち着いたらすぐに電話で連絡をください」

その15分後に千葉さんから電話がありました。電話口で、いつも冷静な千葉さんが取り乱している様子がわかります。「電車のホームに人を突き落としてしまいました」と言うのです。
　上司が千葉さんから聞いた話は次のとおりでした。

応援先のコールセンターに行くための路線を、通勤時間帯に使ったのは初めてだった。考えていた以上に人が多くて思うように身動きできなかった。
自分は白杖を持っていたが携帯を見ながら歩いている人に思いきりぶつかってしまい、その人が電車のホームから線路脇に落ちてしまった。ホームにいた人たちが救出してくれたようだが、突然の出来事に動揺してしまい、自分はホームのベンチに座るのがやっとで、上司からのメッセージの着信でわれに返ったとのこと。

　幸いホームに落ちた人もかすり傷程度で、千葉さんは無傷でした。
　上司は、応援先にはほかの社員に行ってもらい、千葉さんを迎えに行きました。

【解説】

千葉さんが、通勤時間帯に応援先まで電車を使った経験があるかどうかを把握できていなかったのが、今回の盲点でした。

千葉さんは、危うく被害者になった可能性もあり、その場合は労災になったことでしょう。障害がある社員に単独で、慣れていない交通経路を使ってもらうときの一考の視点です。

当の千葉さんはといえば、危機一髪だったけどよかった、という気持ちには到底ならなかったと言います。

「自分は障害とうまく付き合えていると思っていたけど、年齢を重ねて、以前だったらできていたことが、思うようにできなくなっているのを感じました。何より、自分が加害者になっていた可能性があると思うと、今でもぞっとします」

一般的に障害は「病状が固定している」と理解されますが、障害がある人も年齢を重ねます。**上司は千葉さんの対応をとおして、日々の健康の確認だけでなく、人事評価の面談のときなどに、定点的に健康の変化を見る視点が大事だと実感しました。**

怖い思いをしてしまった千葉さんには、とりあえず1週間はいつもの通勤経路で、ラッシュ時を避けて時差出勤してもらうことにしました。

「ヒヤリハット」を教訓に！

労災防止対策の王道には、職場内の「ヒヤリハット」事例を集めることや、同じ業種・似た仕事内容のヒヤリハット事例をヒントにする方法があります。ヒヤリハットとは、仕事中にヒヤッとしたりハッとしたりしたが、一大事にはいたらなかった事象のことです。ハインリッヒの法則では、1件の重大事故の裏に、29件の軽微な事故、300件のヒヤリハットがあるといいます。

さらに、「ささいなこと」と思われることほど重要だともいわれます。「何かことが起きたら」ではなく、チームのメンバーのささいな気になることをいかにうまく拾い上げるかが、労災防止の肝になります。

03

滅多に起きないことも想定しておく

――部下の病院に同行して、上司が主治医に直接相談することも可能

本章では、ここまで滅多に起きない事例として、感染症や労災について触れてきましたが、それに加えて、起こる確率は低いが知っていただきたい実際にあった事例をご紹介します。

「自殺」については前章でしっかりお伝えしました。職場で他殺というようような物騒なことが起こる可能性は、自殺よりもぐっと少なくなりますが、それでも起こるときは起こるものです。

実は私が関与した職場でも、社員が同僚を殺めてしまいそうになった出来事がありました。

その出来事が起こったのは、職場の健康管理の体制づくりの支援ということで、数年間の契約で人事・総務担当者と定期的に打ち合わせをしながら、管理職研修を行っていた会社でした。そのときに、「ちょっと大変なことがありました」と相談された事例です。

30代後半男性の塚本さんは、自動車ディーラーで営業職をしています。

塚本さんが転職してきて少し経ったころ、マネジャーは塚本さんから「前職でメンタルヘルス不調になったことがあるけど、今はもう大丈夫です」と聞いていました。塚本さんは仕事熱心だけれど、気分にムラのある点をマネジャーは気にしていました。「時々かっとなることがあるのは病気の名残かな」と思っていたそうです。

朝のミーティングが終わり、同僚が塚本さんを少しからかったときのことです。突然、塚本さんが「殺してやる」と、真っ赤な顔で同僚の胸倉をつかみ、その形相にただならぬものを感じたマネジャーは、「警察に電話だ！」と咄嗟に思ったそうですが、はたと別の考えが思い浮かびました。

「今朝のようにビル内に人がたくさんいるときに、パトカーが会社の前に停まって塚本さんが連れていかれるのは、会社として（そして自分にとって）まずいんじゃないか？」

そのとき、ほかの同僚が仲裁に入って塚本さんは一度は手を緩めましたが、再び「殺してやる」と同僚に覆いかぶさろうとしました。

マネジャーは、われに返ってほかの同僚と共に塚本さんを羽交い絞めにして二人を引き離し、塚本さんの耳元でささやきました。

「塚本さん、おかしいよ。塚本さんらしくないよ。調子が悪いんじゃない？　今日は仕事を休んで、以前相談したことがあるというお医者さんのところに行ったほうがいいと思うよ」

塚本さんは、マネジャーの「らしくないよ」という言葉で力がふっと抜けました。そうして、コクリとうなずき「頭が痛くて。ちょっと病院に行くので早退します」と職場を出ていきました。


職場では部下たちの動揺が収まりません。そこで、マネジャーは「塚本さんは具合の悪さから、あんな行動に出たのかもしれないから病院に行ってもらったよ。ビックリしたね。あんなことはもう起きないようにするから」と伝えました。一部の部下は「あんなの犯罪じゃないですか。マネジャーは甘いんじゃないですか？」と不満げでした。

翌日、あまり冴えない様子ですが塚本さんは出社して「ちょっと調子を崩したかなと医者に言われて、以前に処方されていた薬を出されました。仕事は続けていいそうです」と言います。

マネジャーは、数日様子を見ることにしました。塚本さんの仕事振りは、少し前よりも言葉が出にくかったり、人に何度も同じことを尋ねたりといった場面がありました。

再度、塚本さんが数日前と同じ形相で同僚と向き合う場面になったため、マネジャーが慌てて人事・総務部門に電話を掛けたときに、たまたま私が居合わせていました。

そこで「塚本さんに断りを得た上でマネジャーが病院に同行して、職場での様子を主治医の先生に相談したらいかがでしょうか」と助言してみました。同行受診で問題は解決の方向に向かいました。塚本さんの病名は脳腫瘍で、手術を受けその後仕事に復帰できたそうです。

今回の同行受診の決め手は、マネジャーが話した内容から主治医が状況をよく理解でき、適切な医療機関を手配してくれたことです。

最初のトラブルのあと、塚本さんが1人で受診したときには「同僚の悪口が気になる。頭が痛い」としか伝えていなかったといいます。

この事例には、次のような教訓が含まれています。

●「自傷他害の恐れ」を感じたときには迷わずに警察に連絡する
●「様子を見る」とは、仕事振りや行動の変化を見て、その状況に応じて「次の」対処の方法を考えておくこと
●上司が同行受診する利点は、職場の困りごとを伝えられること
●本人に一声掛けた上で、家族に連絡するのが原則

※この事例では家族への連絡が後手になりましたが、前章の自殺の項で触れたように状況により家族への連絡が必要です。

何もマネジャーが、すべての困りごとを請け負う必要はありません。マネジャーの基本的な役割は、チーム内でうまく仕事を割り振って、チームを回すことです。

そうはいっても、あまりに強烈な出来事を経験した部下への対応は、配慮したほうがよいでしょう。第3章で書いたように、自殺のリスクが高まることもあるからです。

強烈な出来事とは、新聞の一面記事に載るような事件や人身事故の現場に

遭遇した、自然災害で家族を亡くした、思わぬ事件に直接巻き込まれたなどです。このようなときには、基本的には第3章の自殺リスクに関連した声掛けを応用してください。

04

緊急事態でも業務を止めない

――「健康」の視点からもＢＣＰの整備を

予測できない感染症の拡大や、自然災害は起こらないとは限りません。そのためには、日ごろから「うちの職場でも、こんなことが起こるかもしれない」と事前の準備とイメージができていれば、有事の際にも、メンバーと顧客を守りながら素早く業務に優先順位をつけてチームを回すことができます。

緊急事態に備えた対策としてお勧めするのが、ＢＣＰ（Business Continuity Plan：事業継続計画）です。

ＢＣＰとは「企業が自然災害、大火災、テロ攻撃などの緊急事態に遭遇した場合において、事業資産の損害を最小限にとどめつつ、中核となる事業の継続あるいは早期復旧を可能とするために、平常時に行うべき活動や緊急時における事業継続のための方法、手段などを取り決めておく計画」のことです（出所：中小企業庁「中小企業ＢＣＰ策定運用指針」２０２３年10月10日アクセス https://www.chusho.meti.go.jp/bcp/contents/level_c/bcpgl_01_1.

html)。

貴社でBCPを作成していたなら、実際にあなたのチームだとどのように動けるか、必要なものは抜けていないか、目をこらして確認してください。マネジャーだからこそ、メンバー一人ひとりの顔を思い浮かべてBCPを見直すと、貴社らしいBCPの肉付けができるはずです。

私が見聞きする限りですが、残念なことに企業規模の大小にかかわらず、BCPが絵にかいた餅になっている職場が少なくありません。なぜ、そうなってしまうのでしょうか。おそらく、形式を揃えることが優先され、実際の現場の動きを想定した内容にまでいたっていないからだと思われます。

しかし、私たちは新型コロナウイルス感染症の拡大を経験しました。だからこそ、まだ記憶が新しいうちに今一度職場のリアルな姿と重ね合わせて、BCPを整備することをお勧めします。

> BCPの項目は、中小企業庁「中小企業BCP策定運用指針」の「7．BCPの様式類（基本、中級、上級コース）」（2023年10月10日アク

セス https://www.chusho.meti.go.jp/bcp/download/bcppdf/bcpguide_07.pdf）をご参照ください。

事例クイズ

持続可能なチーム力を鍛える！

問題5

40代半ば男性のEさんは、食品会社の営業管理部の社員です。新卒で入社して在職20年を超えるベテランの社員でした。学生時代はラグビーをやっていましたが、就職してからはスポーツから遠ざかり、お酒とタバコが欠かせなくなっていました。体重の増加とともに血圧値と血糖値が上昇し、会社の近くのクリニックで処方された血圧と糖尿病の薬を服用しているという話でした。

仕事ができない人ではありませんでしたが、仕事に対して強いこだわりがあり「自分の納得できる仕事が終わるまで退社しない」といった、頑固で人の言うことを聞かない一面がありました。

ある日、出社してこなかったEさんに上司がメールと電話をしたところ、返事はありません。独居の自宅アパートの部屋に行ったところ、冷たくなったEさんを発見しました。死因は心筋梗塞でした。

遺族であるEさんの母親からは「労災申請したいので協力してほしい」と

いう申し入れがありました。

Eさんの母親への対応として、不適切なものは以下のどれでしょうか？

①Eさんの過去半年間の残業時間について確認し、協力する

②Eさんの健診後の対応について確認し、協力する

③「Eさんは生活習慣病で亡くなったので労災の申請は不適切ですよ」と助言する

解説

この事例のような場合は、労働基準監督署が、亡くなった背景に仕事や仕事以外のプライベートな要因がないか調査を行って判断します。その際に、①のように労働時間をはじめとして、仕事の負荷要因が確認されます。

一方で、治療中とはいえ、②のように健診の結果で会社が対応すべきことができていたかどうかを確認する必要があります。治療中であっても疾患のコントロールができていない場合は、まずは疾患のコントロールをする工夫について、健診結果を説明する医療職や健診結果を確認する医師から本人に伝えられているはずです（医療上の措置）。

それが難しい場合には、その体調に応じた仕事の配慮（就業上の措置）として、職場の人事部署などから休業してでも疾病コントロールができる医療上の手立てを勧められる場合もあります。

この事例では、服薬治療中とはいえ、血圧（160／100㎜Hg）、血糖（空腹時血糖180㎎／dℓ、HbA1c 12・0％）とコントロール不良な状態であったことがわかりました。

健診結果の産業医の意見には「主治医に相談の上疾病のコントロールが必要。就業可」とありました。

人事・総務担当の社員も上司もその意味をどのようにして理解してよいかわからないまま、「治療している医師がいるのだからふつうに働いてよい」と解釈していたことがわかりました。

結局「会社が積極的に協力してくれて、長時間労働など仕事の要因の負担はないことがわかった。薄々感じていた息子の不摂生が大きな原因だと思う」という母親の言葉とともに、労災の認定申請はしないことになりました。

会社側は、健診を福利厚生的な意味合いだけに運用していたとして、反省すべき点がありました。

そこで、健診結果で体調のコントロールができていないと思われる社員については、確実に医療上の手立てを勧められる方法を考えました。本人が健診結果を受領した1か月内に、その後の状況（健診後に医療機関を受診した結果を書面で回答する）を、マネジャー経由で会社の人事・総務担当者に渡すようにしました。

「体調を確認して働いてもらう」という本来の健診の目的を、より意識するようになったことの表れです。

なお、③の「労災の申請は不適切ですよ」と助言することは間違いです。労災申請に不適切はありません。申請しても結果として、労災認定がされないという場合はあります。

社員や社員の家族から、労災申請に当たって協力を要請されたときは、まずその意向を受けとめて真摯に応える必要があります。はなから、「労災の申請は不適切」と対応するのは、遺族の心証を考えても好ましくありません。

解答

③

問題 6

BCP（事業継続計画）の一環として、チームのメンバーに携帯カードを持ってもらうときに、不要な情報は以下のどれでしょう?

①自分の持病やアレルギーの情報
②2つ以上の家族の連絡先
③社内緊急連絡網の連絡相手が不在時の場合、次の連絡相手の情報

解説

「従業員携帯カード」は各職場で必要な項目を自由に定めて構わないものですが、このカードの目的が「緊急事態に迅速な初動対応ができる」ことであるので、①~③の情報はいずれも必要です。

「従業員携帯カード」の様式については、中小企業庁のサイト（２０２３年10月10日アクセス https://www.chusho.meti.go.jp/bcp/download/bcppdf/bcpguide_07_04.pdf）からダウンロードできます。

解答

なし（どれも必要な情報）

第4章／まとめ

- 自分や部下が感染力の強い病気になったときでも仕事が回るように、緊急連絡先と緊急連絡体制の確認、誰もがわかるチームの仕事の見える化をしておく
- 自分の職場で起こり得る労災をイメージしておく。労災の過重労働と健康への影響について理解しておく
- 従業員や職場が事件や事故に遭遇した場合の対応は、第3章の自殺への対応に準じる
- 会社のBCP（事業継続計画）には、感染症など健康面で緊急事態が起きたときのイメージも反映できるようにしておく

COLUMN

過重労働による健康への影響

国は過労死とは「業務における過重な負荷による脳・心臓疾患や業務における強い心理的負荷による精神障害を原因とする死亡やこれらの疾患のこと」と定義づけています。

一律の過重な労働で誰もが、脳・心臓疾患や、うつ病・うつ状態などの精神障害になってしまうわけではありません。個人差があり、そして、一定の時間が経過してから起こることが多いものです。

したがって、脳・心臓疾患、精神障害の労災について申請した場合は、労働基準監督署によって、おおよそ過去半年間の仕事の状況と、個人の要因について調査が行われます。

申請しても、調査の結果から仕事の状況が発症に影響していないと判断されて認定されない場合もあります。

次ページにある**図4－1**「過労死のメカニズム」のとおり、過労死は個人の特性や生活の要因も関連して起こるものです。なお、この図は左上から右上、そして右上から右下の流れで見てください。

「過重な労働」の筆頭に挙がるのが、長時間労働です。近年残業時間を重視するようになった背景に、残業時間が増えると睡眠時間の減少によって、脳血管障害や心疾患のリスクが高まるエビデンス（医学的根拠）が積み重ねられてきたことがあります。

誰にとっても一日は24時間です。睡眠時間が5～6時間以下だと発症リスクが高いことから、逆算して、ひと月当たりの残業時間が80時間以上、１００

図4-1

過労死のメカニズム

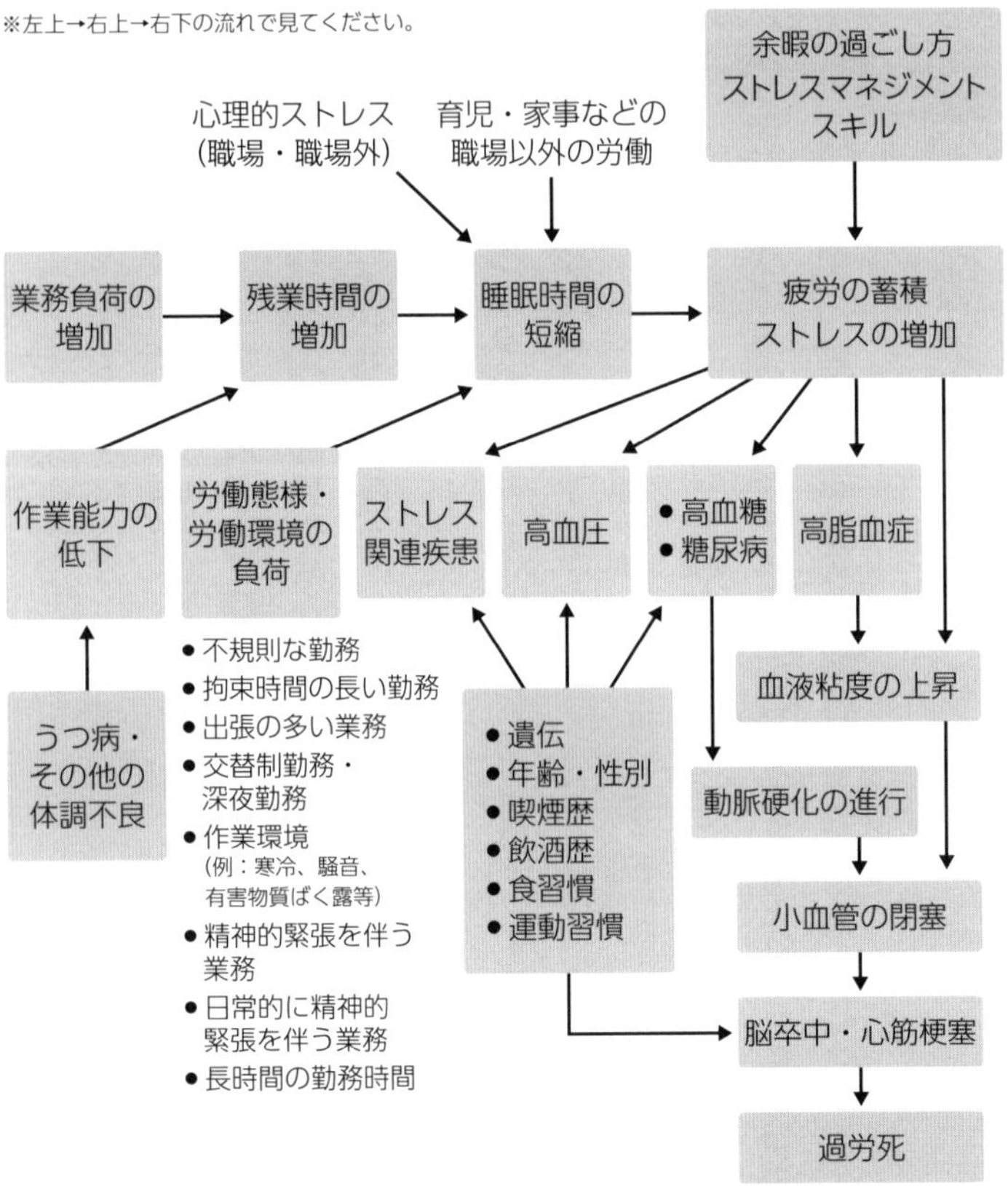

出所：『使える！健康教育・労働衛生教育65選（249ページ）』（森晃 爾編、一般社団法人 日本労務研究会刊）

表4－1

残業時間と睡眠時間の関係

残業以外の労働と基本生活に、14時間必要

- 基本労働時間：8時間
- 労働以外に必要な基本生活時間：6時間
（昼休み1時間、通勤（往復）1時間、食事・風呂・家族団らん4時間）

↓

残り10時間を残業と睡眠に振り分けると

↓

睡眠時間	5	6	7	8
一日の残業時間	5	4	3	2
月の残業時間	100	80	60	40

時間以上をハイリスクと考えるようになりました（表4－1参照）。

もちろん、ひと月当たりの残業時間が100時間を超えていても、健診の結果が良好であるとか、残業時間が多くてもその中で自己コントロール可能な時間が確保できているなど、長時間労働であっても良好な精神状態を保てる人はいます。

そのように個人差があることから、仕事と健康の因果関係が明確な労災に比べて、長時間労働の健康への影響は労災として認められにくい傾向にあるようです。

さらに、過重な労働とは、長時間労働ばかりではありません。夜勤のある交代制勤務や出張の多い業務、精神的緊張を伴う業務など、いろいろあります。

たとえば、夜勤という勤務形態は、単に時間が後ろ倒しになるだけではありません。人の身体は日内リズムがあり、昼夜逆転だと生体への負担が高まることが明らかになっています。夜間は疲労を回復しやすい体内環境になる時間帯です。夜勤は人の生体リズムと逆の時間に活動するので、疲労回復が難しくなる勤務なわけです。このため夜勤のあり方については、できるだけ負担を減らす工夫が必要になります。

当然ながら、脳・心臓疾患を抱える人に対しては、夜間の勤務が適当なのか吟味する必要がありますし、シフトの組み方なども、できるだけ身体の負担がかからないようにします。

また、「勤務間インターバル」といって、1日の勤務終了後、翌日の出勤までの間に9～11時間の休息が必要という考え方も、近年進められています。

職場が働く人の健康に配慮するのと同時に、働く人も自らの健康について配慮しながら働くことが重要になっています。

第5章

持続可能なチームをつくるために

まとめ編

01

持続可能なチームづくりに欠かせない、小さな習慣

——「挨拶」「余裕」「共有」

ここでは、すぐに実行できることをご紹介します。「何だ、そんなことか」と思われるくらい簡単で小さなことばかりですが、習慣となり無意識にできるようになるまで続けるのがコツです。

たかが挨拶、されど挨拶

基本に戻って、手始めにやっていただきたいのは挨拶です。子どものころから言われていることなのに、相手も自分も気分のよくなるような挨拶は大人こそできていないものです。

ポイントは「部下の顔をしっかり見る」「口角を上げる」の2つだけ。時々鏡の前で練習をしておくと、自然にできるようになります。挨拶の文化がない職場では気が引けるかもしれませんが、何度か行っていると、当然のしぐ

さとなって定着します。

「意外に、部下の顔を見ていなかったことに気づきました」というのは、私が顧問契約をいただいている会社のマネジャーたちから耳打ちされた言葉です。

部下の顔をしっかり見るようになると、ちょっとした表情の変化から、感情を読み取れるようになります。不思議なもので、部下は上司の表情・顔色を気にするわりに、上司は部下ほど気にしてはいないものです。

部下の表情が曇っているように見えたときは、「何か引っかかっていたり、気になっていたりすることはない？　もし今言いづらかったら、言えるときでいいから何でも言ってね」と、すかさず声掛けしてください。

次に習慣にしていただきたいのは、3つの「余裕」です。

①自分の仕事に必要な「余裕」

マネジャーに一番必要な「余裕」は、想定外のことが起きた場合にフレキシブルに動けるための「スケジュールの余裕」です。

部下の相談事や、チーム内で発生したクライアントとの揉め事、はたまた役員への緊急報告など、予測不可能な案件に対処するための時間を、あらかじめスケジュールに確保しておくのです。タスクとタスクの間に30分間ぐらいのバッファをもたせるのが理想です。

忙しいマネジャーにとって今日は何も起こらなかったな、という日はまれでしょうが、そんなときは、このバッファ時間を貴重な自分のための時間にしてください。

②部下との会話に必要な「余裕」

部下と話をするときに「なかなか意見が出てこない」「反応がじれったい」「何を言おうとしているのかわかりにくい」、そこでつい先回りして口を出してしまう……。思い当たる方も多いと思います。マネジャー職が合理的に仕事を進めようとすると、自分のストーリーに部下を当てはめてしまいがちです。プレイヤー時代に実行力があった方ほど、部下が自分の思い通りに動いてくれないジレンマを感じやすくなります。

部下なりの判断でやろうとすることが待てず、ついつい早口でダメ出しをしてしまいがちです。

「自分がやったほうが早い」という考えに陥ると部下の成長を阻害し、結果として自分の首を絞めてしまうことになりかねません。

このジレンマを防止するには、仕事の指示や説明を伝えたあとに一呼吸おいて、「部下の反応を聴く余裕」を意識してみることです。今自分が伝えたことについて、部下がどのように捉えたかを言葉にしてもらうと、意外とズレていることに気づかされるはずです。

最近ではほとんど耳にしなくなった「ツーカーで通じ合える関係」というのは、すでに過去のものとなった結びつきなのかもしれません。もしかすると昔も通じ合っていなかったけれど、当時はプレイヤーが多く、同じような考えの同質集団で、かつマネジャーの仕事の守備範囲も狭かったから「ズレ」や「違和感」を覚えなくてすんだだけなのかもしれません。

言葉がなくても通じ合う間柄が存在しなくなったからこそ、部下との会話を大切にしてください。

③部下の成長に必要な「余裕」

今どきのZ世代は、反応が薄いことが特徴といわれていますが、部下の反応が薄くて頭を抱えそうになったときにも「余裕」を意識してみてください。

ここでいう余裕とは、部下の行動に主体的な選択肢を与えることや、部下の仕事に精緻な線引きをしない、いわば「部下の成長を見守る余裕」のことです。

やらされ仕事より本人に裁量権をもたせた仕事のほうが、主体性や独自性が発揮され、モチベーションや働きがいがアップします。ひいては離職率の低下につながるともいわれています。

方針や方向性を見誤っていないのであれば、いくらか目をつぶって部下の判断で動ける業務を増やしていきましょう。間違いなく仕事をするときの顔つきが変わり、少し時間がかかってもワークエンゲイジメントが高まります。

短期的に考えると、部下より仕事ができるマネジャーが業務をたくさんこなしたほうが生産性は上がります。しかし、特定の人以外は理解できない

「業務の属人化」が進めば、持続可能なチームにはなりません。中長期的には成果に必ず表れることを信じて、育成の視点を大事にしましょう。

「共有」されると、ワークエンゲイジメントが高まる

「挨拶」「余裕」と、チーム運営で習慣にしてほしいことをご紹介してきましたが、最後は情報の「共有」です。これも辣腕マネジャーにとっては、面倒なことかもしれません。

日ごろの情報共有ができていないと、メンバーは情報を探すのに手間取ります。その結果、顧客への迷惑や商品・サービスの品質の低下につながります。

マネジャー自身の過去の失敗事例も反省を伝えながら共有すると、メンバーも失敗を報告しやすくなります。

失敗をお互いに認め合える集団となって、ようやくチームが機能します。

第3章の自殺のエピソードでも同様のことをお伝えしましたが、職場では知らせたくない情報ほど、あっという間に伝わってしまうものです。

上司から直接聞かされる前に、ほかのルートから情報が入ってきたことで上司や会社に不信感が募ったというのは、誰しも身に覚えがあるのではないでしょうか。

メンバーに伝えづらい情報には、秘匿性の高い経営情報も含まれます。これについては、私が全従業員面談を行う中で見聞きしている限りですが、経営に関する情報を丁寧に伝えられている職場ほど、組織の一員としての当事者意識が高いという感触があります。

情報共有はワークエンゲイジメントと非常に関連性が高く、組織の一員としての当事者意識が高い従業員が多いほど、チームの課題を解決しようとする意欲が高まります。ただし、情報の確かさや秘匿性の取り扱いなど「伝え方」の工夫は必要です。

少しずつであっても、日々の「挨拶」「余裕」「共有」を積み重ねていくと、必ずチームが変わっていくことを私自身が実感しています。結果が表れるまでに時間はかかっても、これらの3つが習慣化されるまで意識してトライしてみてください。

02

専門職をうまく活用する

――産業医や保健師は、元気に働き続けられるための強い味方

保健医療の専門家である産業医や保健師の勤務形態には、大きく分けて業務委託契約と常勤雇用があります。

私の元にはよく、「保健医療職と契約したが、うまく職場に関与してくれない」という相談が寄せられます。

同業種をけしからんといわれることほど、つらいことはありません。とはいえ、保健医療職側に課題がある場合もあれば、逆に企業側に課題がある場合もあります。そこで、まずは産業医の仕事を簡単にご説明します。

産業医は、常時従業員数が50人以上の職場では選任することが法令で義務づけられています（まれに選任できていない職場もあります）。

産業医の仕事は、労働安全衛生規則第14条第1項に定められていますが、実態はずいぶん省力化されて次のような業務が仕事の中心になっていることが多いようです。

●健診結果の判定
●「（安全）衛生委員会」の出席
●（形式的な）職場巡視

企業側にとっては、費用と労力がかかる反面、効果を感じにくい産業医の選任は、とりあえず形式的に、安くて、最低限の内容に落ち着いてしまうのもうなずけます。しかし、そのようなミニマムの業務だとできることも限られています。

一方で、本書で一貫してお勧めしてきた従業員が元気に働き続けられるための、もう一歩踏み込んだアプローチを、産業医や保健師も勧めてくれるなら、持続可能なチームづくりにとって、とても心強い味方になります。
たしかに短期的には成果をはかりにくいかもしれませんが、健康状態も多様化してきている昨今では、従業員の健康へのリスクヘッジには間違いなく貢献してくれて、中長期的に会社としての成果につなげてくれます。

保健医療職には、具合の悪いところへの対応だけでなく、「誰もが元気に働けるウェルビーイングな職場づくり」の価値を共有するチームの仲間になってもらいましょう。

03

ちょっとお節介なぐらいがリスクヘッジに

――独善的でない一歩先を見た提案がカギになる

保健師の仕事はお節介、といわれることがよくあります。なるほど、先を見通して、誰もが生をまっとうできるようにすることを使命とする保健師の仕事は、お節介に見えてしまうのもわかります。

そういえば、お節介は「昭和の遺物」だと言った人もいました。しかし、私は個人主義が進み孤立しやすい時代だからこそ、ちょっとお節介くらいが、特にメンタル面のリスクヘッジに貢献すると考えています。

お節介というと、余計なお世話を焼くことと解釈されることがありますが、ここでは「異なる立場だから見通せる少し先の心配を提示して、未然にその人が困ることを防ごうとする行為」という意味で使いたいと思います。したがって、お節介する側の気がすむだけの独善的で偽善的な行為ではいけません。

マネジャーによっては、たとえ部下のためを思っての一言や行為であっても、反対に迷惑がられるのではないか、だからお節介は及び腰になる、という方もいらっしゃるでしょう。

仮にそうであったとしても「気になったことは放っておかないで」というのは、私が働き始めたころに先輩の保健師から繰り返し言われた言葉です。「何か事が起きたときに『もしかして、そうなるんじゃないかと思っていた』とあと出しで言うのはズルい」とも言われました。

結果は間違っていたとしても、予見できたことには対応するというのが、私たち保健師の仕事なのです。

独善的な判断でないか自問した上でのお節介なら「不適切な提案だったら、ごめんなさい」と謝ればいいだけのことです。

「とても心配している」という思いが伝われば、相手は拒絶するほど不快には感じないはずです。

それよりも、いつもと少しだけ違う部下の様子に、防げる病気や悩みが潜んでいるかもしれません。それに気づいてあげられるのは、上司であるあなたにしかできないことではないでしょうか。

04

企業風土や会社の仕組みの点検と介入

——現場の実態から会社に提案できることがある

会社には、就業規則をはじめ健康に関するルールやガイドライン（指針）があり、会社の規模が大きくなるほどに、その種類は増え内容もきめ細かくなる傾向があります。「安全衛生管理規則」「心の健康づくり計画」といった名称がつけられているので、名前だけでも聞いたことがあると思います。

前章まで読んでいただけたなら、貴社のルールやガイドラインが現場で機能するかどうか、吟味できるまでに知識が広がったのではないでしょうか。

なぜこのようなことをいうのかといえば、きれいにまとまったルールやガイドラインがあるにもかかわらず、「うちの会社の健康管理には課題がある」と相談を受けることがとても多く、せっかくルールやガイドラインがあっても、現場で使われていないケースが散見されるからです。

職場を訪問するときに、まずは人事・総務などの部署の方に、どのようにルールやガイドラインを策定したかをお尋ねします。そうすると、きまって「国などが提示しているひな型を参考に、弊社にある程度当てはめてつくりました。ただし、ひな型をつくり変えてしまうと問題があると思って、大幅には変えていません」という答えが返ってきます。

これらの会社や職場が抱える問題点は、大きく2つあるように思います。

1つ目は、盲目的にひな型を流用していることです。原因は、現場でこれから起きそうな健康問題について、ルールを策定することの多い人事・総務部門の担当者が十分に想定できなかったからでしょう。

そして、2つ目が、従業員に周知・共有されていないことです。

組織の規模が大きくなればなるほど、実に多くのルールやガイドラインが出来上がり、ましてや法令や通達をきちんと網羅しようとすればするほど、難解で膨大なものになってしまいます。

加えて大きな組織ほど数年単位で人事異動が行われ、担当者が細部にまで理解を深めたり、検討したりすることが不可能な実態もあるようです。

そこで、既存のルールやガイドラインにとらわれずにチームや会社の成長に貢献できる、4つの方法をご紹介します。いずれも現場のマネジャーだからこそ取り組めるものばかりです。

①会社に、マネジャーたちの連携機会を要請する

持続可能なチームをつくるためには、マネジャー同士の連携ほど強力なものはありません。

マネジャーは、部下がどのように働いていて、どのようなことがうまくいかなくなるのかを一番間近で見て理解しています。部署が異なっても、それぞれの知見を集められれば現実的な対応策が見えてきます。

それに、**マネジャー職は立場上どの職場でも孤独です。「お互いをサポートし、会社をうまく動かしていく仲間である」という共通認識をもって、マネジャーの知恵と気持ちをつなげられると本当に心強いです。**

さらに、もう一歩踏み込んだ具体的な方法を挙げます。

マネジャー職の「参加型研修」を会社に提案してみましょう。多くの職場で、マネジャー以上の管理監督者を対象とした各種研修が行われていますが、

まだまだ社内の役職者や社外の講師が主導する、知識伝達型の講義や講演が圧倒的に多いように思われます。それでは、どうしても知見は一方通行になりがちです。

基本的な知識を得るためインプット型の研修などは、今ならオンデマンド配信などである程度カバーできます。知識を元に「自分は何をすればよいか」「うちの会社では何ができるか」を同じマネジャー職が話し合える研修を企画してみるのです。

研修提案の根拠は十分にあります。厚生労働省の「労働者の心の健康の保持増進のための指針」では、特に「職場改善」として参加型の取り組みが推奨されています。厚生労働省のサイト「こころの耳」のコンテンツ「職場改善のためのヒント集（メンタルヘルスアクションチェックリスト）」（2023年10月10日アクセス https://kokoro.mhlw.go.jp/manual/hint_shokuba_kaizen/）を用いると、講師なしの検討会スタイルでも取り組むことができます。もちろん、この内容を理解したファシリテーター役を担える外部講師が入ると、より運営はスムーズです。

②「（安全）衛生委員会」などをうまく機能させる

次に、「（安全）衛生委員会」（以下、衛生委員会）や、それに準じる会議体をうまく機能させることです。

うまく機能させるとは、法令を遵守しながら、「委員がお互いに忖度なく率直に意見を交わせること」「職場に根差した自発的な取り組みが進められること」を指します。

しっかり機能している衛生委員会にマネジャー職も関与することで、持続可能なチームづくりが強固なものになっていきます。

労働安全衛生法に基づき、従業員数が50人以上の職場では衛生委員会、従業員数が10～49人の職場ではそれに準じる会議体を実施する必要があります。法令に基づいて実施を必要とされている事項なので、当然多くの職場で実施されています（詳しくは271ページを参照）。

しかしながら、私が労働衛生診断などで職場を訪問すると、「とりあえずやっている」「形だけやっている」に終わらせてしまっている職場が少なくありません。

そして、そのような職場にかぎってよく耳にする言葉に、「忙しすぎる」「職場の雰囲気が悪い」とか「情報伝達に課題がある」「離職者が多い」があります。

衛生委員会は、文字どおり「職場の『生（いのち）を衛る（まもる）』委員会」です。あなたの職場のための委員会だと位置づけるなら、あなたの職場としての有意義な肉付けをしたいものです。

このような例があります。

ＩＴ関連の仕事をするこの会社は、従業員が50名を超えたことから衛生委員会を立ち上げました。4部署で組織されていたので、衛生委員会の委員も4部署からの社員代表とマネジャー職、そのほかに、衛生管理者、産業医、社長で構成されました。

「せっかく時間を使ってやるのだから有意義な時間にしよう」「うちの会社って、健康上どんな特徴があるの?」といった発想からスタートし、「委員会では忖度しなくてよい」「仕事に関連した健康の話なら何を言ってもよい」

「お互いの意見を批判しない（よりよい案を提案するのはよい）」を基本ルールにしました。

若い社員が多いけれど、健診の結果、脂質異常症（いわゆる高コレステロール）が目立つといった話題から、「ヘルシーランチ弁当を食べながらの委員会にしよう」というアイディアも出てきました。

外部業者に注文したお弁当の包み紙には、毎回お弁当のレシピやコラムを付けるようにしたので自然と食事の話題がはずみます。

一緒に食事をすることで、仕事にまつわる雑談から社内の横の連携、そして部門をまたいだマネジャーと社員という斜めの関係づくりも自然と進みました。

③マネジャーが忖度なく相談できる先を確保する

メンタルヘルスの相談窓口を外部企業と契約している職場（場合によっては健康保険組合）が増えてきました。そのような相談先をつくることはもちろん大事ですが、それ以上に「マネジャーの上司」がマネジャーの声をしっかり聴けるようにすることが重要です。「聞く」ではなく「聴く」です。身を入れて聴いてもらうことに意味があります。

私が行っている面談では原則年に1回、「仕事と健康に絡んでいて」「どうしたら元気に働き続けられるか」というテーマに沿っていれば、何を言ってもよいとしています。

継続して面談の回数を重ねるごとに、いろいろな本音を話してくれるようになりました。

マネジャーからすると、会社の全員と話している保健医療職というのは、はじめこそ警戒されることがありますが、だんだんと自社のことをよくわかっている人という見方に変わってくるようです。

そして、自分の頭の中だけに抱えている堂々巡りの悩みを、言葉にしてアウトプットすることで客観視できることに気づくようです。

そのようにして、私を介して仕事の悩みを整理しているマネジャー職が多く、ほとんどの方が、面談をきっかけに自ら次の一歩の行動を見いだされています。

マネジャーのさらにその上司である管理職と保健師では立場が異なりますが「話をしっかり聴く」という共通の方法を用いると、マネジャーを守りマネジャーがうまくチームを回せる後押しができるのではないでしょうか。もちろん、社外の専門職にできることには限りがあります。

余談ながら、こんな例もありました。

従業員約100人の医療機器製造会社で、ある事件が起きました。

部下が、上司の西沢さんが作成した企画書を盗用して顧客に提案し、悪いことにその顧客からライバル企業にその企画書が横流しされたという出来事です。当然、渾身のアイディアを盗まれた西沢さんは大激怒です。

自殺・他殺のどちらが起きてもおかしくない西沢さんのただならぬ雰囲気をキャッチした社長から直接私に連絡があり、西沢さんから話を聴いてほしいと要請がありました。

結果的に企画書を持ち出した部下は退職することになりましたが、大事にはいたらず、社長をはじめとした役員や私も、最悪の事態を防げたことに安堵しました。
その数年後、西沢さんとの定例の面談の中で「あのときは、頭が混乱して何をどうすればいいのかわからなかったけれど、みんなが話を聴いてくれて本当に救われた」と言われたことが印象に残っています。

私のような保健医療職が行う面談の内容は、基本的に職場には報告しません。しかし、特例として次の2点に当てはまる場合は、本人にその旨を伝えた上で、会社に対応策を取ってもらうように連絡します。

①休業を要するなど業務への配慮が必要だったり、命の危機にかかわるような緊急の対応が必要だったりする場合
②今後の健康施策や課題として、職場全体に反映させたらよいと判断した場合（このようなケースでは相談者の特定はほとんど必要ありません）

④入社時にセルフケアの重要性を伝える

いくらマネジャーが部下の心身の状況に気を遣っても、肝心の部下が無頓

着だと対応に限界はあります。特に、ある程度の年齢を重ねたベテラン社員がなかなか言うことを聞いてくれないというのは、思い当たるふしがあるのではないでしょうか。

そこで、入社時に「自分の心身に気を付けて仕事をすること（自己保健義務）の意義」を研修に取り入れてもらうよう職場に提案してみてはいかがでしょうか？　新卒でも社会人経験者でも、スタート時が一番意欲的で、職場に関心が高い時期なので頭に入りやすいといえます。すでに雇用時に労働衛生教育をしっかり行っている職場でも、特にこの内容は強調してもらいたいと思います。

人生100年が当たり前となった時代、持続的に働いていくためには、働いている人自らが心身のメンテナンスに気を配る「自己保健義務」の考え方がさらに求められます。職場は、入社時にしっかり意識づけをして、できれば節目節目で学び直しができる仕組みをつくることをお勧めします。

COLUMN

「衛生管理者」って何をする人？

職場は、労働災害を起こすことなく、働く人が健康で働けるように仕事上のリスクを想定した仕事の仕方や、職場環境の整備を行わなくてはいけません。

右記は、会社等が取り組むべき義務である働き方や働く場所への配慮について、労働安全衛生の関係法令で定められている内容です。行政用語がわかりづらいという声をよくお聞きするので、本書ではエッセンスだけを噛み砕き、言葉も一部平易なものにして「衛生管理者」についてご説明します。

衛生管理者とは、職場で「衛生」の視点から働き方や働く場所への配慮を具体的に執り行う職種の人です。ここでいう「職場」とは、会社そのものであり、仕事の指揮命令に携わっているマネジャーのみなさんも含まれます。

職場で常時50人以上の労働者を使用（雇用）している場合に、衛生管理者を選任する必要があります。事業場の規模が大きくなると、選任する衛生管理者の数も増えます。たとえば、200名以上の労働者を使用している場合は2人、500名以上だと3人の選任が必要になるという具合です。

衛生管理者の業務は、おおよそ次のようなものです。

①健康に異常がある者の発見及び処置

主となる業務に健診の企画・運営がある。また、全従業員が受診できるように健診を企画・運営する。

健診結果から、産業医等の意見を聴き、事業場として次の2点の措置を行う。

- **医療上の措置**　再検査や医療機関の受診の必要性
- **就業上の措置**　業務の継続や軽減の必要性

②作業環境の衛生上の調査

仕事が原因でケガや病気につながる職場環境になっていないか職場を見て回り、作業環境測定を行うなどして実態を把握する。

必要に応じて未然防止策につなげる。

③作業条件、施設等の衛生上の改善

仕事の仕方による健康影響を軽減するようにする。たとえば、労働時間の実態把握（長時間労働や夜勤のあるシフト勤務のあり方）や、負担のかかる作業姿勢への対応など。

④労働衛生保護具、救急用具等の点検及び整備

業務の特性に応じて労働衛生保護具を選定し整備する。労働衛生保護具には、粉塵から肺などの呼吸器を守る「防じんマスク」や、転落や墜落から身を守る「ハーネス型安全帯」などがある。また、職場でケガや具合が悪くなった場合の救急時の対応法を明らかにし、必要な物品を選定する。

⑤衛生教育、健康相談その他の労働者の健康保持に関する必要な事項

働いている人自らが仕事で健康を害さないようにするために必要な知識の提供や、相談体制の整備。

⑥労働者の負傷及び疾病、それによる死亡、欠勤及び移動に関する統計の作成

労災が発生した場合は、その情報を整理して衛生委員会等で調査や審議を

行い防止策を検討する。傷病での休業状況について整理し、職場に合った対策を検討する際の資料にする。

⑦その事業の労働者が行う作業が他の事業の労働者が行う作業と同一の場所で行われる場合の、衛生に関する必要な措置

衛生管理者は、雇用先や雇用形態が異なる労働者に対しても、目配りをした対応が必要とされる。

⑧その他、衛生日誌の記載等職務上の記録の整備等

仕事と健康に関連する情報を記録し、整理する。

衛生管理者が衛生管理の業務だけに従事している職場もありますが、人事・労務・総務といった部署の従業員が、他の業務と兼務している場合も少なくありません。健診や作業環境測定、教育・研修などの業務は、当然外部リソースの活用も検討します。

また、業種によっては「安全管理者」の選任が必要な職場もあります。安全の担当者と衛生の担当者が連携して、業務を行うこともあります。

なお、衛生管理者は国家資格で、多くの場合は衛生管理者試験を受験する必要があります。試験では、労働関係法令や有害な業務の特徴、健康への影響、人体の生理的特徴などを網羅的に問われます。

とはいえ、働いている人の一番近くにいて仕事を指示しているのはマネジャーです。衛生管理者とうまくコミュニケーションを取りながら、部下の健康に目配りしていくことで、チームの健康管理は心強いものになるはずです。

10～49人の労働者を使用している職場では、「衛生推進者」を選任することが義務づけられています。

衛生推進者の業務内容は、衛生管理者の業務に準じ、資格取得の試験はなく、講習を受講することが要件となっています。

衛生管理者も衛生推進者も職場で活かされることで、よりその能力が発揮されるのを実感しています。課長相当の従業員に、衛生管理者資格を取得するよう義務付けている職場もあります。

私は、マネジャーと衛生管理者・衛生推進者の前向きで建設的な相互作用があると、職場の健康は大きく変わってくるのを実感しています。

05

働きやすい人・環境は身近にある

――職場のよい点に目を向けよう

これまでお伝えしてきたように、私は保健医療職として、誰もが元気に働き続けられるための助言や支援を行っています。振り返ると、実に多くの職場にお邪魔しました。

面談であったり、研修やセミナー講師であったり、労働衛生診断であったりと、支援の方法は異なりますが、共通しているのは、上司と部下の人間関係、職場環境、働き方などに幅広く触れてきたことです。

たいていの職場で開口一番に言われるのが「わが社のどこ・誰が問題ですか?」です。失礼ながら、「またか……」と、心の中で苦笑してしまう瞬間です。

悪いところ探しに終始すると元気で長く働き続けられる職場にならないのを、嫌というほど経験してきたからです。

職場が危険性の高い状態なら、当然すぐに対応すべきです。しかし、意外に思われるかもしれませんが、考えられる問題につぶさに対応していくことが働きやすさに直結するわけではありません。

どうやっても改善できないちょっとした不都合は、必ずあるものです。職場環境しかり。人間の身体や人間関係しかり。

ということで、**よい点にあらためて目を向けることで、働きやすい職場環境づくりを進めていく方法をお勧めします。**

職場のよい点を見つける

本書に取り上げた事例は、決して問題点の改善ばかりを示したわけではありませんでした。

たとえば、第3章の片腕がない岸田さんの事例では、障害者の声をヒントに、誰もが働きやすい環境に整えていこうというマネジャーの行動力がありました。

同じく第3章でご紹介した、転職後半年で休業してしまった工藤さんの事例では、執念とも思える本人の復帰への意欲に加えて、気長に部下を育成した小林マネジャーと、工藤さんを末っ子のように応援していた職場の雰囲気がありました。

第4章の夜のオフィスで心筋梗塞になった田中さんの事例では、緊急時の対応法をわかりやすく掲示していたことで一命が取り留められました。

とはいえ、「あなたの職場のよい点は何ですか?」と唐突に尋ねられても、なかなか答えは返ってこないものです。


だから、私は職場を訪ねてよい点に気づいたときには、あえて意識的に言葉にします。「これっていいですね」「それは素晴らしいですね」と。

不思議なもので、この私の言葉をその職場の人がどのように受けとめるかによって、その後の職場の雰囲気が変わってくることも見えてきました。

日本人的な謙虚さからなのか、リップサービスとして受けとめるのにとどまったり、「よいと言われたことは、それでよし」で終わっている職場は、その後それほど変化はありません。

一方「これっていいですね」という私のコメントに、「そうですか? いいですか?」と意識して確認される職場や、「そうでしょう! (類似のものを示して) こんなのもありますよ」と、積極的に反応してくれる職場は、その後さらによい点を広げられています。

「ここの職場は気持ちのいい挨拶をされますね」とお伝えしたあと、再度訪問したときに、さらに挨拶に磨きがかかっていた職場がありました。

その職場の一人がこっそり、「社長が『挨拶を褒められたよ。やっぱり挨拶できるっていいんだよね』って言っていましたよ。『単純だな』と揶揄する社員もいたけれど、みんなまんざらでもなかったみたいで、より挨拶を意識しているみたいです」と、教えてくれました。

つまり、よい点は褒められることで広げやすくなるものなのでしょう。

第3章で岸田さんは、片腕で行う仕事は両腕でする仕事と同じようにはできないということを言っています。でも、障害がある人にとってやりやすい方法はわかるという、自分のよい点に目を向けて職場を改善しようとしていました。

ちなみに参加型の取り組みとして249ページでご紹介した、厚生労働省の「職場改善のためのヒント集」は、職場のよい点を見いだす枠組みとしても使えます。

繰り返しになりますが、私たちは物事を評価するとき、減点法を使いがちです。できていないところや問題点ばかりに目を向けやすいものなのです。

それはそれで大事なことではありますが、当たり前だと思っているものの中によい点が必ず含まれていることを、忘れないでおきたいものです。

人手不足に悩む時代になったからこそ、人や環境のよさに目を向け、さらにそのよさを広げていくことが、持続可能なチームをつくる大事なヒントになると思うのです。

06

退職時でも後ろ姿はしっかり見届けよう

——去り際の対応こそ、持続可能なチームのカギとなる

本書の締めくくりとして、メンバーの退職、転職に対する理解の仕方や対応について考えてみたいと思います。

終身雇用の時代は終わり、転職で会社を離れる人を見送るシーンは珍しくなくなりました。といっても、定年退職以外の退職は、どこか胸にざわつきを覚えるものです。少なくとも、その職場がその人を引き留めるだけの魅力に欠けていた、ということに変わりありません。

私が全従業員面談を行っている場面の中でも、「実は近々退職するんです」という言葉を聞くことが年々増えてきました。

面談では本音で話してもらうようにしているので、退職理由を尋ねると職場の不満を口にする人が少なくありません。

私が「そのことは上司にも伝えた？」と聞くと、「波風立てたくないので伝

えていません。だから言わないでください」という答えが返ってくることがほとんどで、やりきれない気持ちになる瞬間です。

職場の立場に立って採用や育成の労力や費用を思うと、貴重な人材を失ってもったいないなぁという気持ちにもなります。

そして、退職にいたるまでのサインをマネジャーは「キャッチできなかったのか?」「慰留できなかったのか?」「あるいは、しなかったのか?」といった疑問をもたなくはありません。

いくら転職が容易になったといっても、職場としても本人としても可能な限りよい関係で長く働けるのが理想だと思います。

退職を引き留められず、そこに職場への不満が見え隠れしたときは、その判断の是非はともかく、不満については耳を傾けておく価値はあります。

なぜなら、**似た理由の退職者が続く可能性はきっとあるからです。また、耳を傾けるという行為は、その人の存在を受けとめる(リスペクトする)ということで、その人の生き方にも影響を与えると思えるからです。**

退職が決まったという話のあとに「転職が容易なご時世になったからとい

っても、上司はあまりにドライな対応だった」と話した人がいました。転職者の多い業界の社員の言葉だけに私は驚きましたが、同時に区切りのときの記憶はしっかり残るものだと気づかされました。

マネジャーは、転職・退職という決断をした部下に向き合うとき、内心気分のよくないことも多くあるでしょう。

しかし、ここは大事な節目のときです。単に退職後のSNSへの悪評の書き込み対策ということだけでなく、そしてお祈りメールと揶揄されるような体裁を整えた表面的な言葉でなく、その社員に心から健康とその後の活躍を願った言葉を贈ってください。

このときの気持ちは必ず伝わります。前述のちょっとしたお節介を発揮しましょう。

最近では、一度退職した社員を再度迎え入れる「出戻り社員」歓迎の会社も珍しくないようです。

一度退職した社員とのつながりをもち続ける「アルムナイ（卒業生や同窓生の意味）」が、貴重であるというのが話題になっていました。

アルムナイ採用の留意点や利点についてはここでは割愛しますが、人口縮小時代には、お互いに敬意がもてる関係であることが、よい顧客になったり、よい助言者になったり、再雇用につながったりすると考えられます。

どんなことがあっても、「元気でね」「またね」と言って送り出せる関係性が、今後の持続可能なチームをつくるカギになることは間違いありません。

第5章／まとめ

- マネジャーから職場に提案できること
  - マネジャー同士の横の連携
  - 衛生委員会（あるいはそれに準じた会議体）の活性化を考えた関与
  - 自分の上司など、マネジャーが忖度なく相談できる相談先の確保
  - 新入社員研修などの講義に、自分の心身に気を付けて働くこと（自己保健義務）の意義を加える
- 「スケジュールの余裕」「部下の反応を聴く余裕」「部下の成長を見守る余裕」を心掛ける
- ちょっとしたお節介がリスクヘッジに

● 退職・転職を決断した部下へ心からエールを贈る

● 「挨拶」やふだんのさりげない声掛け。「元気?」から、チームのウェルビーイングを引き出す

COLUMN

衛生委員会とは、「健康で働き続けられる職場づくり」を話し合う会議体

衛生委員会は、仕事中にケガや病気にならないためにはどうするかといった、労災防止の取り組みが中心になります。同じ職場でも、立地や業務内容、年齢構成などによって、「仕事」と「ケガや病気」の関係は異なります。そこで、事業場ごとに、そこで働く人が頭を寄せて考えた方策が現実的で役立つものになります。

衛生管理者と同じく、衛生委員会も常時50人以上の労働者を使用(雇用)している場合に設置が義務づけられています。

また、業種によって安全委員会の設置が必要な場合があり、衛生と安全の

表5－1

衛生委員会の運営について

開催頻度	毎月1回以上
委員構成	①議長：事業場の安全衛生の責任者（事業場の長や同等の権限と責任を持つ副長など） ②衛生管理者 ③産業医 ④衛生について経験のある労働者 ※①以外の委員の半数は労働者とする
付議事項 （話し合う内容）	「労災の防止」「健康障害の防止」 「健康の保持増進」の視点から
議事の記録・保管・公開	● 議事録を作成し、3年間保管する ● 議事の概要を掲示などで全労働者に周知する

両方の設置が必要な場合には、衛生委員会として設置してもよいとされています。

衛生委員会の運営は、表5－1に主な内容を抜粋（根拠法令の記載は省略）し、一部はわかりやすい言葉に直していますが、それでも法令で細かく規定されていることがおわかりになると思います。

私が労働衛生診断でうかがう職場で衛生委員会の開催状況をお尋ねすると、たいてい言葉に詰まったり、「何のためにやらなきゃいけないんですか？」と怒りも交じった本音で質問されたりします。

そんなときは「よくぞ、本音を

言ってくださった！」とばかりに、「いったい何のために、と思われているんですね」と応じると、「そりゃそうですよ。忙しいんだから」と芋づる式に怒りと不満と本音がどんどん出てきます。

ひと通り耳を傾けたあと、「忙しいときって危ないんですよね」という話から衛生委員会の趣旨や運営方法が規定されている背景などを説明すると、「じゃあ、どうすると、有意義な衛生委員会につなげられるの？」という話になります。

251ページでご紹介した衛生委員会を立ち上げたIT関連会社は、そのような私の経験をお伝えしたことから、スタートの段階で、「全員参加で」「自由な発言ができるように」「自然に職場の課題が見えて対策が講じられるように」という趣旨で衛生委員会をつくりました。

衛生委員会で話し合う内容は、次ページの表5-2を見ると細かなことまで決められているように思うかもしれませんが、その職場に合った議論ができるように、委員の人数や議題など自由度のある部分もあります。

せっかくやるなら、是非「うちの職場に合った実りある衛生委員会」になるよう、助力いただきたいと思います。

表5-2

衛生委員会で話し合うこと

1. 労働者の健康障害を防止するための基本となるべき対策に関すること
2. 労働者の健康の保持増進を図るための基本となるべき対策に関すること
3. 労働災害の原因及び再発防止対策で、衛生に係るものに関すること
4. 衛生に関する規程の作成に関すること
5. 危険性又は有害性等の調査及びその結果に基づき講ずる措置のうち、衛生に係るものに関すること
6. 安全衛生に関する計画（衛生に係る部分）の作成、実施、評価及び改善に関すること
7. 衛生教育の実施計画の作成に関すること
8. 化学物質の有害性の調査並びにその結果に対する対策の樹立に関すること
9. 作業環境測定の結果及びその結果の評価に基づく対策の樹立に関すること
10. 定期健康診断等の結果並びにその結果に対する対策の樹立に関すること
11. 労働者の健康の保持増進を図るため必要な措置の実施計画の作成に関すること
12. 長時間労働による労働者の健康障害の防止を図るための対策の樹立に関すること
13. 労働者の精神的健康の保持増進を図るための対策の樹立に関すること
14. 厚生労働大臣、都道府県労働局長、労働基準監督署長、労働基準監督官又は労働衛生専門官から文書により命令、指示、勧告又は指導を受けた事項のうち、労働者の健康障害の防止に関すること

出所：労働安全衛生規則 第22条「衛生委員会の付議事項」

おわりに

会社に雇用されていた健康管理部門の「保健師」の枠から飛び出し、多様な会社（団体）の健康管理の支援を行う仕事を始めて10年が過ぎました。その経験から見えてきたのは、一見立派に企業ＰＲなどをしている会社でも「社員の健康課題」を抱えて悩んでいるという実態でした。

そして、冒頭にも書きましたが、その中心にいるのが「マネジャー」だという気付きから、健康の切り口からマネジャーのチーム運営を支える本を書きたいという動機につながりました。

本書では、ざっと20以上の事例をご紹介しました。どうしても「何かことが起きたとき」の対応のニーズが大きいため、そういった内容にボリュームを割きましたが、この本は「働く人誰もの健康（ウェルビーイング）」を意識した部下の健康管理の実践書です。

それぞれの事例がピタリと当てはまるものばかりではないでしょうが、必ず「そうか、そうだ！」と今日から使えるもの、応用すれば明日から使えるものがあるはずです。

マネジャー職の方に私がいつも言っている言葉があります。

「頑張りすぎず、頑張って」

いくら、その職場に辣腕の衛生管理者や産業医がいたとしても、一番職場をグリップしているのはマネジャーです。

そんなマネジャー職の傍らで、エールを贈り背中を押す気持ちで本書を書きました。

どうか、これからも元気でチームを支えていってください。

心より応援しています。

最後になりましたが、本書刊行の道筋をつくってくださった編集者の倉橋京子さんに御礼を申し上げます。そして、何より私の保健師のスタートラインから今日まで30年にわたって、ずっと叱咤激励をくださっている鈴木恒子さんには心より御礼申し上げます。鈴木さんの名言は本書の随所にちりばめています。

そのほか、これまでに働く人の健康という命題に、一緒に頭を抱えて知恵を絞り汗をかいてくださった契約先企業の皆さま、これまで私が社員として在籍した企業で、ともに健康管理のあり方を考えてきてくれた社員の皆さま、「どうしてうまくいかないんだろうね」と同職種の悩みを共有しあった保健師や労働衛生コンサルタント、労働安全コンサルタント、産業医の皆さまにも感謝申し上げます。皆さまのおかげで、本書が出来上がりました。

本書が、チーム運営に悩むマネジャー、また、そのマネジャーに悩んでいる職場の一助になれば、これほど嬉しいことはありません。

２０２３年10月　大神あゆみ

参考文献

『ウェルビーイング』
前野隆司・前野マドカ 著（日経BP、日本経済新聞出版 刊）

『自殺の危険 臨床的評価と危機介入 第4版』
高橋祥友 著（金剛出版 刊）

本書内容に関するお問い合わせについて

このたびは翔泳社の書籍をお買い上げいただき、誠にありがとうございます。弊社では、読者の皆様からのお問い合わせに適切に対応させていただくため、以下のガイドラインへのご協力をお願い致しております。下記項目をお読みいただき、手順に従ってお問い合わせください。

●ご質問される前に

弊社Webサイトの「正誤表」をご参照ください。これまでに判明した正誤や追加情報を掲載しています。

正誤表　https://www.shoeisha.co.jp/book/errata/

●ご質問方法

弊社Webサイトの「書籍に関するお問い合わせ」をご利用ください。

書籍に関するお問い合わせ　https://www.shoeisha.co.jp/book/qa/

インターネットをご利用でない場合は、FAX または郵便にて、下記“翔泳社 愛読者サービスセンター”までお問い合わせください。
電話でのご質問は、お受けしておりません。

●回答について

回答は、ご質問いただいた手段によってご返事申し上げます。ご質問の内容によっては、回答に数日ないしはそれ以上の期間を要する場合があります。

●ご質問に際してのご注意

本書の対象を超えるもの、記述個所を特定されないもの、また読者固有の環境に起因するご質問等にはお答えできませんので、予めご了承ください。

●郵便物送付先およびFAX番号

送付先住所　〒160-0006　東京都新宿区舟町 5
FAX 番号　03-5362-3818
宛先　㈱翔泳社 愛読者サービスセンター

※本書の内容は、2023年10月現在の法令・基準等に基づいて書かれています。
※本書で使用されている団体名、個人名は、すべて架空のものです。実在する名称とは一切関係ありません。
※本書の出版にあたっては正確な記述につとめましたが、著者や出版社などのいずれも、本書の内容に対してなんらかの保証をするものではなく、いかなる結果に関してもいっさいの責任を負いません。
※本書に記載されたURL等は予告なく変更される場合があります。

著者プロフィール

大神 あゆみ（おおがみ あゆみ）

大神労働衛生コンサルタント事務所 代表。

保健師／労働衛生コンサルタント（保健衛生）／博士（医学）。

日本赤十字看護大学卒業後、NTT、読売新聞社、ソニー生命保険株式会社の勤務を経て、2012年より現職。医療現場の一線にはあえて携わらず、一貫して「働く人の健康管理」に、通算30年以上携わる。

現在の主な事業は、社長も含めた全社員対象の健康面談や研修事業をベースにした会社の健康管理の仕組みづくりの支援である。「仕事」と「健康」を切り口に全社員を対象にした面談を重ねてきたことで、職場の環境が改善。約200事業場以上で累計4万人以上の働く人に対応してきた。そこで会得した人的資源管理の活きた知見を持つ。これを多くの働く人に還元し支援していくことで、誰もが「元気（ウェルビーイングな状態）」で働き続けられる社会になるよう貢献したいと考えている。

そのほか、社会活動として、厚生労働省の「産業医制度の在り方に関する検討会」「治療と仕事の両立等支援に関する検討会」委員等にも携わる。

●大神労働衛生コンサルタント事務所
http://ogami-ohco.jp/

カバーデザイン　小口翔平＋奈良岡菜摘（tobufune）
本文デザイン・DTP　マーリンクレイン

持続可能なチームのつくり方
幸福と成果が連動する

2023年11月22日　初版第1刷発行

著　者　大神 あゆみ
発行人　佐々木 幹夫
発行所　株式会社 翔泳社（https://www.shoeisha.co.jp）
印刷・製本　日経印刷 株式会社

ISBN978-4-7981-8232-2　Printed in Japan